USA Y YO

USA
Y
YO

by Miguel Delibes

Edited by Fortuna L. Gordon

UNIVERSITY OF LOUISVILLE

THE ODYSSEY PRESS • NEW YORK

E
169.1
.D42
1970
Sept. 1999

DEDICATORIA

A mis padres

INTRODUCCIÓN

El propósito de la edición escolar de *USA y Yo* es estimular y mejorar la conversación en español por la lectura y la discusión de unos ensayos cuyos temas contemporáneos favorecen una orientación bi-cultural. Sirve el texto más eficazmente después de cumplirse los estudios fundamentales en el idioma.

Primero fue publicado *USA y Yo* por Ediciones Destino en Barcelona en abril 1966 para un público español. Contuvo treinta y tres capítulos, entre los cuales se han escogido diecisiete para esta edición estudiantil sin alterar su contenido de ningún modo. Así se conserva el espíritu franco y contemplativo, el humor, la compenetración algo intuitiva y el estilo más bien periodístico. Se presentan los puntos de vista de un castellano trasladado de su ambiente tradicional a un continente sumamente inquieto.

Durante sus cuatro meses de residencia en los Estados Unidos, el matrimonio Delibes se alojó con una familia norteamericana en Maryland, donde el autor dio conferencias en la Universidad de Maryland y también en otros centros eruditos. Por la brevedad de su estancia, Delibes ha confesado en su Nota Previa la posibilidad de equivocarse en ciertos juicios suyos. De todos modos el lector va a tener ratos de acuerdo y desacuerdo con el autor. Naturalmente las opiniones expresadas se diferirán a las de un norteamericano y por consiguiente el aula ofrece un escenario donde analizar e interpretar el tratamiento de los temas diversos y disputables. El cultivo de tal destreza analítica e interpretativa le da al estudiante preparativos para sus cursos literarios o para sus viajes al extranjero.

Para enriquecer la compenetración estudiantil, se ofrecen al pie de las páginas unas explicaciones que tratan de referencias vagas, costumbres o actitudes psicológicas en España. Además, al final de los capítulos se nota una lista de modismos; si aparece un modismo varias veces en el texto, está incluido en el vocabulario general. El vocabulario es práctico aunque contiene de cuando en cuando modismos poco frecuentes y palabras vulgares empleadas en un sentido singular.

A mi ver *USA y Yo* cumple un estudio propicio de culturas desemejantes en una edad de mucho turismo y de comunicaciones tecnológicas incontables. Claro que tales circunstancias acercan a los países íntimamente y crean un menester urgente para un enfoque siempre más internacional, el que incluye no sólo conocimientos de otras sociedades sino una nueva compenetración del país natal dentro del escenario global. En un sentido limitado, pues, la edición actual le presenta al lector este tipo de enfoque.

OBRAS DE MIGUEL DELIBES

Novelas

La sombra del ciprés es alargada. Ediciones Destino, 1948. (Premio Eugenio Nadal, 1947.)

Aún es de día. Ediciones Destino, 1949.

El camino. Ediciones Destino, 1950. (Edición escolar publicada por Henry Holt and Company, New York, 1960. Editores: José Amor y Vázquez y Ruth H. Kossoff.)

Mi idolatrado hijo Sisí. Ediciones Destino, 1953.

La partida (relatos cortos). Ediciones Destino, 1954.

Diario de un cazador. Ediciones Destino, 1955. (Premio Nacional de Literatura, 1955.)

Siestas con viento Sur (cuatro narraciones). Ediciones Destino, 1957. (Premio Fastenrath de la Real Academia Española.)

Diario de un emigrante. Ediciones Destino, 1958.

La hoja roja. Ediciones Destino, 1959. (Premio Juan March, 1958.)

Las ratas. Ediciones Destino, 1962.

Libros de Viaje

Un novelista descubre América. Libros de Viajes Ediciones Destino, 1956.

Por esos mundos: Sudamérica con escala en las Canarias. Ediciones Destino, 1961.

USA y Yo. Ediciones Destino, 1966. (Edición escolar publicada por The Odyssey Press, New York, 1970. Editor: Fortuna L. Gordon.)

AGRADECIMIENTOS

Me complazco en expresar mis agradecimientos a todos los individuos que han tenido a bien prestarme su ayuda. Gratitud especial merecen los siguientes:

Miguel Delibes y Ediciones Destino, que me dieron el permiso de publicar la edición escolar de *USA y Yo*. Le doy gracias al autor también por la atención y la disposición bondadosa con que me trataba siempre cuando le preguntara sobre ciertos aspectos dudosos.

El doctor John J. Weisert, Jefe del Department of Modern Languages de la Universidad de Louisville, ha contribuido su apoyo indispensable durante los tres años de prueba académica y preparación de este texto.

Los estudiantes que se matricularon en la clase de conversación donde experimenté con *USA y Yo* no vacilaron en enterarme de sus prejuicios, de sus elogios y sus críticas del contenido textual y de los ejercicios. Con la misma candidez me citaban a menudo la necesidad de anotaciones en cuanto a ciertas palabras, referencias, etc. Fue su entusiasmo lo que me sostuvo en el cumplimiento de la tarea.

Iguales como los encargados del Campus Computer Center, la señora Janice S. Bales y las señoritas Jane Bacon, Mary Judith Bacon, Sarah Mary Walter trabajaron cuidadosa y diligentemente en las últimas etapas de los preparativos del vocabulario.

El Research Fund Committee de la Universidad de Louisville me permitió prestar fondos por varios servicios taquigráficos.

En el mes de marzo de 1969 hice una visita a Valladolid donde conocí a toda la familia Delibes; cada cual contribuyó en una manera especial a darme una bienvenida cordial e inolvidable.

Estoy muy agradecida por la ocasión de haber charlado con esta familia tan encantadora y de haber compartido con ella recuerdos todavía vivos de los meses que los padres pasaron en los Estados Unidos.

SALUDOS AL ESTUDIANTE

¿Para qué leer un libro sobre los Estados Unidos en una clase de español? Una pregunta muy astuta y una que merita reflexión. Primero será interesante ganar cierta perspectiva de los Estados por los ojos de un visitante. Si Vd. no puede viajar todavía al extranjero, paradójicamente la mejor manera de profundizarse en unas comprensiones vastas de su propio país, pues vale mucho leer las observaciones de un viajero a su tierra, principalmente cuando aquél ha hecho un esfuerzo de valorar condiciones y personas con prudencia, sabiduría, candidez, sin prejuicios que le conmovieran a discutir sólo unos aspectos negativos.

Segundo, Vd. tiene algo que contribuir en las discusiones escolares. *USA y Yo* no se trata de temas desconocidos por completo; tampoco se trata de una lectura pasiva en una clase de conversación sino de charla sostenida, un diálogo intelectual con Miguel Delibes.

Una tercera ventaja de este tipo de libro es que Vd. hará un pequeño estudio comparativo cultural. ¿Por qué piensa el escritor en tal o tal modo? ¿Cómo ha influido el ambiente castellano las interpretaciones de sucesos norteamericanos?

Hoy día se plantea el problema mundial de la coexistencia de muchas culturas en las cuales resaltan más bien diferencias sicológicas y filosóficas que las costumbristas, linguísticas y tradicionales, aunque éstas contribuyen sumamente a la compenetración de cualquier país. En cierta forma vaga el hombre busca la unidad y la harmonía sin negar el deleite de heterogeneidad terrenal. Como Vds. lo saben, la tecnología nos acerca, nos rodea y nos envuelve cada vez más apretadamente en una órbita humana que exige compadecer, convivir con una multitud de conceptos sociales,

xiii

morales, intelectuales, unos de los cuales no se pueden aceptar y a la vez, otros que nos agradan.

Ahora bien, en cuanto al autor mismo se verá que Miguel Delibes anhela entender al fondo un continente lejano de su tierra física, política y socialmente. La cautela con que expresa sus opiniones, la humildad que él indica frente a sus conclusiones sobre unos aspectos perturbadores que él encuentra, el impersonal espíritu investigador que él manifiesta, su rechazo de condenar por completo una condición poco entendida, nos sirven como ejemplo de un viajero inteligente. Siempre busca él el por qué; a veces, sus conclusiones no le agradarán puesto que Vd. se siente norteamericano y ve todo de otra manera. Además, Vd. tendrá ganas de investigar unas referencias directas e indirectas que el señor Delibes hace a la cultura española, dándose cuenta de que para él, la vida norteamericana trastorna y desarraiga las tradiciones españolas. Miguel Delibes nos ofrece un espíritu tolerante, sí, pero uno que no le venda los ojos a las debilidades ni a las virtudes de dos culturas. Más bien su libro representa un análisis de modos de pensar sobre varios temas en España y en los Estados Unidos; las características físicas de las dos naciones no le llaman tanta atención.

El día que le convenga, Vd. tendrá ocasión de visitar cualquier país. ¿Qué actitudes tendrá Vd. al enfrentarse con quehaceres cotidianos y con todas las ideas filosóficas, históricas, sociales y políticas que se saborearán a diario? ¿Se desarrollará un aprecio nuevo de los valores intrínsecos en otras culturas, incluso los de su propio país?

Los ejercicios sirven de guía en la comprensión de la materia y de práctica del nuevo vocabulario. En cuanto al vocabulario, ojalá que encuentre Vd. las palabras y los modismos más desconocidos, pero asegúrese que los ya aprendidos generalmente en el primer año de español no aparecerán. Tampoco se hallarán palabras que se parezcan a las equivalentes inglesas.

Pues bien, que disfrute Vd. de la lectura y de la discusión en sus aulas, tal vez afuera también, y por fin que mejoren sus entendimientos de las dos culturas presentadas.

INDICE

NOTA PREVIA

La responsabilidad de que yo me empareje con USA en el título
de estas páginas corresponde mitad por mitad a Marion Ament*
y Francisco Umbral.† Marion Ament comenzó a leer estas impresiones antes de que yo regresara de América y, entonces, me
5 dijo: "Me interesan estos escritos más que por lo que me descubren
de Norteamérica por lo que me descubren de ti." Paco Umbral,
por su parte, en afectuosa misiva, venía a decirme[1] que el choque
de un castellano de pura cepa rural, con el país más evolucionado
y automático del mundo resultaba por demás[2] regocijante y
10 sabroso. Resumiendo: estos Estados Unidos son "mis" Estados
Unidos (un país no es sólo lo que ese país sea sino lo que le
añade la perspectiva de cada observador y aun la disposición
síquica y mental de éste). Con esto quiero subrayar que el título
de estas páginas, aunque de entrada[3] pueda parecer un poco fatuo,
15 no es, si bien se mira, sino un acto de humildad. Yo no me atrevo
a decir que los Estados Unidos sean así, sino que así los he visto

* **Marion Ament** Profesora de la University of Maryland en cuya casa se
alojaron los Delibes durante su estancia en USA.
† **Francisco Umbral** periodista y escritor español, autor de trabajos sobre
Lorca y Larra.

1

o así me han parecido, con lo que vengo a reconocer que el día
en que se demuestre lo contrario de lo que afirmo — sea para bien
o para mal — se me encontrará siempre dispuesto a una revisión
y, si se tercia, a una rectificación. En palabras pobres, lo que
5 quiero decir es que admito como posible que los niños norteamericanos lloren más que los europeos, que el juego político de
la libertad sea una trampa y aun que el nivel de vida y los rascacielos no sean tan altos como el viajero los vio. Uno acepta, en
suma, que el lector se sorprenda antes que por lo que al autor le
10 ha sorprendido por la sorpresa de éste. A mí, sencillamente, como
a otros muchos europeos, el contacto con USA me asombró y el
resultado de mi asombro son estas líneas. Que sean acertadas o
desacertadas ya es otro cantar.⁴ Por de pronto,⁵ son sinceras y de
buena fe, aunque no se me oculta que esta disposición de espíritu
15 no garantiza en modo alguno la fidelidad del retrato.

En realidad, la experiencia del viajero no ha sido general. Se
ha limitado a los siguientes estados: New York, New Jersey,
Connecticut, Massachusetts, Maryland, Virginia, Carolina, Penn-
sylvania, Kentucky, Indiana, Illinois, Wisconsin, Michigan, Ohio
20 y la capital federal Washington, D.C. Es decir, uno ha recorrido
una parte de los Estados Unidos, sólo una parte y, por cierto,⁶ la
menor. Del oeste extremo y del suroeste no trae impresiones
directas y, consecuentemente, cabe que un buen día tenga que
desdecirse y aclarar que algunas afirmaciones que sentó como
25 generales no tienen tal carácter. Quede, pues, claro, que este
repertorio de impresiones deshilvanadas se cimenta sobre un
caudal de observaciones limitadas al norte, al este, al sudeste y
al medio oeste de los Estados Unidos. El resto de los Estados — y
son unos cuantos — continúan inéditos para él.

MODISMOS

1. **venía a decirme** happened to tell me
2. **por demás** too

3. **de entrada** at first, to begin with
4. **ya es otro cantar** that is another story
5. **por de pronto** for the present
6. **por cierto** certainly

EJERCICIOS

Contestar:

1. Al leer el manuscrito de Miguel Delibes, ¿qué comentario hizo Marion Ament?
2. ¿Por qué se tituló el libro *USA y Yo?*
3. ¿Qué actitud quería mantener el autor ante sus propias observancias de USA?
4. ¿Qué regiones estadounidenses visitó Delibes?

I
NUEVA YORK A VISTA DE PEZ

No todo ha de ser en la vida a vista de pájaro,[1] entre otras cosas,
porque la vista de pájaro no siempre constituye el ángulo de
enfoque más pertinente. Tal sucede con Nueva York. Nueva York
es una de esas ciudades que, como muchas mujeres, resultan más
5 vistosas de perfil. Ahora bien,[2] vistosa no creo que sea el adjetivo
que mejor cuadre a esta ciudad, una ciudad que, en cuanto uno
la divisa a distancia, advierte que no puede ser sometida a las
medidas europeas. Uno, preparado para la sorpresa, traía dispuesta la medida alemana[3] — en lo urbano e industrial la más
10 amplia medida que conoce — , pero en seguida advirtió que también esta medida le venía chica[4] para la ocasión presente. Tal
vez la medida brasileña, en lo vegetal, sea la más adecuada para
medir, en lo mineral, una ciudad como ésta. Sí, seguramente es
así: Nueva York se asemeja a la jungla brasileña, sin más que
15 sustituir los árboles por edificios. Pero me parece que he tomado
el tono demasiado alto . . .[5]

La eficiencia y el espíritu de organización del americano del
norte ya se hace patente en el barco en que uno viaja. Un barco
americano es también América. Uno va adentrándose así, paula-
20 tinamente, sin advertirlo, en otros hábitos y costumbres, tal, a

4

vía de ejemplo,[6] el sentido de previsión. Es exagerado el tiempo
con que los americanos toman las cosas.[7] Ya la antevíspera de
nuestra llegada, durante los festejos de la noche, se nos anunció
que, al día siguiente, no habría bingo, ni cine, ni baile, ni con-
5 cursos, ni nada: el más absoluto y total colapso. Era preciso cerrar
las maletas, sacarlas a los pasillos — para que los mozos fueran
apilándolas en cubierta — y disponerse a ver la entrada en Nueva
York. Ésta, de no fallar los cálculos, la haríamos sobre las tres y
media de la madrugada, hora en que el práctico nos tomaría de
10 su mano, para desfilar a las cinco frente a la estatua de La Libertad
y atracar, en el muelle 44, sobre las siete de la mañana. Esto,
anunciado con día y medio de antelación,[8] le pone al viajero en
trance de[9] desembarco con una anticipación enojosa. Durante todo
el día siguiente, una vez liado el petate[10] (que se lía rápido), con
15 las hamacas recogidas, la mesa de pingpong arrumbada, la piscina
vacía, los salones dormidos y el ajetreo de montacargas que suben
y bajan, de carritos que van y vienen cargados de equipajes, le
colocan a uno en esa situación típica de traslado donde todos
alrededor afanan, mientras que uno no tiene otra preocupación
20 que la de no estorbar y, cuanto más viva esta preocupación — esto
es incontestable — más estorba. De este modo las últimas veinticuatro horas en un trasatlántico yanqui pesan más que todo el
resto de la travesía junto. Luego, a dormir. Pero ¿cómo dormir
cuando uno ha solicitado que le llamen a las tres y media de la
25 mañana para saludar al práctico? Para dormir, como para escribir,
hace falta conciencia de tiempo por delante.[11] Tratar de dormir, o
de escribir, apremiado, es tontería. Así, cuando el mozo llama,
el viajero ya está de pie. La mañana es brumosa, ligeramente
brumosa, pero no fría. Y cuando, el práctico sube a bordo en la
30 Ambrose Light — "Luz de Ambrosio" — suenan, puntualmente, las
tres y media de la madrugada; los botes ya no sacuden los costados
del vapor, y navegamos por un mar — un río ya, el Hudson —
bruñido como un espejo. Por la amura de babor, entre las luces
difuminadas por la calina, resalta un resplandor, como un ascua,
35 en las indecisas tinieblas. Gerónimo, el emigrado español, resi-

dente en Santa Bárbara (California), desde el año 13, se siente muy
orgulloso de explicarle al viajero:
— La Estatua de La Libertad, ¿sabe?
— ¿La Libertad? ¿Ha dicho La Libertad?
5 — Claro, La Libertad. ¿Es que nunca oyó hablar de ella?
— ¡Como oír!,[12] pero, la verdad, no la conozco.
La Estatua de La Libertad, oteada desde cubierta, da la impresión de más chica de lo que el viajero primerizo imagina. Tal
vez la distancia, tal vez la falta de costumbre; cualquiera sabe.[13]
10 Pero el desfile de impresiones ha empezado y ya no le dejará al
viajero hasta que, a la noche, dé con sus huesos en la cama. Por
estribor se divisa, entre los incipientes arreboles del alba, la proa
de la isla de Manhattan — el corazón de Nueva York — flanqueada
por los ríos East y Hudson. El barco prosigue por el Hudson y,
15 de inmediato, sobreviene el mazazo de los primeros colosos, la
piña de rascacielos de Wall Street — el centro financiero neoyorquino — con alguna alta ventana iluminada, pero dormidos aún,
en el silencio del alba. El efecto es impresionante.
— Esto hay que verlo de día o las nueve de la noche. Así no
20 tiene vista[14] — dice Gerónimo, decepcionado.
Uno calla. A uno le ha prendido ya el asombro. Quiere relacionar la madrugada brumosa con otra madrugada de Hamburgo
aún no lejana. Pero los gigantes negros, salpicados de fúlgidos
ojos, le dicen que no, que la escala aquella no sirve; que aquella
25 escala se queda corta[15] aquí. Por ello, el viajero no comparte la
decepción de Gerónimo. La ciudad bajo el sol, o radiante de luz
artificial y de movimiento, podrá constituir, en efecto, un impacto
más encandilador, pero no más fascinante. La irrealidad neblinosa
del amanecer, me parece, por el contrario una circunstancia muy
30 apropiada, para tomar contacto con Nueva York. Los rascacielos
— ahora una densa floración de rascacielos: Empire, Rockefeller,
Chrysler, etc. — se adelantan hacia uno como espectros poderosos;
sombras de cemento cuyo colosalismo sobrecoge. Hay algo de
pesadilla en todo esto, impresión que acentúa el hecho de que el
35 viajero se encuentre mal dormido. En ningún otro momento ha

tenido uno, tan acentuada, la desagradable impresión de que el
hombre pueda ser un día aplastado por su propia obra. La danza
de los rascacielos, desde el Hudson, al amanecer, encierra algo de
carnavalada siniestra; algo así como una amenaza latente; quizá
5 es la impresión de sentirse insecto lo que anonada al viajero; la
tremenda sensación de impotencia e insignificancia, lo que le aga-
rrota. Porque el caso es que en la ciudad erizada contra la claridad
de la aurora, existe una belleza innegable, la belleza de una geometría desmesurada, de unas formas colosales anárquicamente
10 distribuidas, pero con un sustrato común de pujanza, de fuerza.
Porque la visión de Nueva York desde el Hudson no termina en
la mera verticalidad. Todo es inmenso aquí. El barco que nos
traslada, uno de los mayores del mundo, semeja una barquichuela
dadas las dimensiones del río que surca. Los muelles se suceden
15 desde la punta de Manhattan, sin interrupción. Kilómetros* y
kilómetros de muelles y millares y millares de barcos atracados a
ellos. En la orilla derecha se asoman los gigantescos monstruos,
mientras, a la izquierda parpadean las luces de Nueva Jersey. El
día va ensanchando y por la pasarela que flanquea los muelles
20 empieza un incesante desfile de automóviles, automóviles, claro
está, de los de antes de la guerra —por decirlo de alguna manera—
de esos que no lloran la munición,† entre otras cosas porque aquí
la munición está a 4,50 pesetas el litro. A la inicial impresión de
fuerza dormida, va sucediendo una impresión de vorágine, de
25 vitalidad. Es curioso que mi primera evocación al divisar Nueva
York desde el Hudson fuese la del escritor Ernest Hemingway.
Que[16] ¿por qué? Eso ya es más difícil de explicar pero la ciudad
me sugirió al hombre por su aspecto macizo, fuerte, musculado;
seguramente porque el habitante congruente para Nueva York
30 fuera Hemingway, un hombre fornido, de gran tamaño, de energía
indomable. La impresión de Nueva York desperezándose es la de
un monstruo capaz de engullirse, en un dos por tres,[17] al apocado,
al pusilánime. Menos mal que en los prolijos trámites del desem-

* **kilómetros** Una milla equivale 0,62 kilómetros.
† **que no lloran la munición** No les falta gasolina.

barco — policía, aduana, sanidad — nunca falta un cubano o un puertorriqueño, que, en el buen sentido, le eche a uno una mano.[18] En estos trances, y con mayor motivo aquí, un pueblo minucioso* hasta la exageración, el viajero siempre recela tener un papel de 5 menos y que el revisor le diga: "Esto está incompleto; por ahí se va a su casa."[19] (Uno, sin embargo, tomó antes de salir todas las precauciones. Se dejó sacar sangre con la docilidad de un cordero, se dejó echar los rayos,[20] se dejó vacunar, pesar, medir y hasta retratarse. Después de todo esto y en el momento de recoger el 10 visado, una señorita de la Embajada le dijo: "Usted no necesita nada de esto; usted es un líder." "¿Que yo soy un líder?" — inquirió el viajero estupefacto. "Naturalmente que es usted un líder. ¿Quién le ordenó hacerse un reconocimiento?",[21] insistió. "Ustedes" — aclaró el viajero. "¿Nosotros?" — dijo la señorita. 15 Y, evidentemente contrariada, llamó a la señorita cónsul, a varios compañeros de negociado y, tras un prolongado debate, concluyeron que el viajero era un líder y no precisaba reconocimiento sanitario. Uno, cada vez más perplejo, preguntó: "Diga usted, ¿y es que los líderes no contagiamos?". La señorita respondió 20 cortante: "Es la ley." Y así, uno se vino sin papeles médicos, y su mujer, también, porque era la mujer de un líder, pero el viajero que jamás tuvo conciencia de líder, ni cosa parecida,[22] a la sombra del Empire State, se siente más pequeño, menos líder que nunca, y cuando se enfrenta al delegado sanitario, intenta com- 25 poner, lo mejor posible, una actitud y una cara de líder, pero sus dotes de actor son mínimas y, entre esto y el madrugón, toda apariencia de líder — si es que alguna conservaba[23] — se disipa y el delegado, amablemente, le invita a sentarse mientras le dice: "¿Está usted indispuesto?". "Claro que no" — se apresura a res- 30 ponder el viajero. Mas el repertorio de sonrisas ha comenzado. Más adelante habrá que hablar de la amabilidad americana — un país cuya prisa no se traduce en malos gestos — de su sentido, muy desarrollado, de sociabilidad y convivencia. De momento, uno

---

* **un pueblo minucioso**   un país que se preocupa con detalles minuciosos.

puede añadir que los trámites de desembarco, si lentos, no son
enfadosos y que la estatua de La Libertad, que a la llegada saluda
al viajero, está allí para algo; significa alguna cosa.)
Claro es que al viajero le esperaban en Nueva York. La señora
5 A. le aguardaba a pie firme desde las siete de la mañana. Las tres
horas de plantón,[24] pese a ser uno un desconocido, tampoco la
hicieron arrugar el ceño, antes al contrario su sonrisa parecía pedir
disculpa por las incomodidades soportadas y de las que ella en
modo alguno era responsable. Pero el ajetreo de Nueva York
10 comenzó a envolver al viajero. Un ajetreo dinámico, pero no
angustiado. Los tamaños continuaban impresionando su pupila:
los tamaños de las avenidas, de los automóviles, incluso los de los
números de las casas . . . Mas ésta es una sensación que se des-
vanece de inmediato (se conoce que la pupila es más acomodaticia
15 que el cerebro o el estómago) de tal forma que a las dos horas de
pasear en automóvil por las calles de Nueva York — traído y llevado
como un bulto con dos ojos enormes, atónitos — uno, de pronto,
empieza a sentirse como en Europa o, más concretamente, como
en España; los taxistas vocean a los peatones, los peatones a los
20 taxistas, el pollo[25] de 18 años deambula con su pantalón vaquero,
se tropieza con una rubita de jersey azul y falda gris y entran juntos del brazo[26] en una cafetería. Los modos y las modas importados
últimamente por España han sido tan fielmente asimilados que
una calle neoyorquina es igual a la Gran Vía* madrileña — salvo
25 el color de la piel de muchos transeúntes — a condición de que no
levantemos los ojos. Eso sí, cuando uno levanta los ojos y se ve
perdido en el profundo desfiladero de cemento, en la oscura sima,
vuelve a sentirse insignificante; cualquier otra cosa menos líder.
Lo mismo sucede si el viajero se traslada al último piso del Empire
30 State en un ascensor "supersónico", con la diferencia de que, si en
la calle no debe levantar los ojos, aquí no debe bajarlos. Quiero

---

* **la Gran Vía** arteria principal en pleno centro de Madrid, donde se
encuentran las agencias de turismo, almacenes, hoteles, y cafés. También se
llama Avenida José Antonio, en homenaje al héroe falangista de la Guerra
Civil de 1936–1939.

decir que si se limita a contemplar las crestas de las docenas de rascacielos que le rodean, todo irá bien, todo se le antojará[27] proporcionado y razonable. Ahora bien, si baja repentinamente los ojos y divisa, allá, al fondo, la cadena de automóviles moviéndose 5 como minúsculas hormigas, la cabeza se le irá,[28] aunque, de inmediato, se rehaga, hinche el pecho, experimente un movimiento de soberbia — la borrachera del dictador —, y se diga confidencialmente, mientras el mundo se empequeñece ante sus ojos: "Bien mirado,[29] sí, soy un líder; he aquí mis poderes."

MODISMOS

1. **a vista de pájaro**   (by) bird's eye view
2. **ahora bien**   now then
3. **traía dispuesta la medida alemana**   came disposed to measure by German standards
4. **le venía chica**   was inadequate
5. **he tomado el tono demasiado alto**   I have begun on too lofty a plane
6. **a vía de ejemplo**   by way of example
7. **toman las cosas**   anticipate things
8. **de antelación**   in advance
9. **en trance de**   in the act of
10. **liado el petate**   packed up and gotten out
11. **hace falta conciencia de tiempo por delante**   one lacks awareness of any future time
12. **¡Como oír!**   Of course I have heard about it!
13. **cualquiera sabe**   nobody knows; it could be a number of reasons
14. **Así no tiene vista**   To see it as it is now (at dawn) is not to see it at its best
15. **que aquella escala se queda corta**   that that comparison is not adequate
16. **que**   well
17. **en un dos por tres**   in a split second

18. **le eche a uno una mano**   m ay lend one a hand
19. **por ahí se va a su casa**   you will have to go straight home
20. **se dejó echar los rayos**   he allowed himself to be X-rayed
21. **hacerse un reconocimiento**   to have an examination made
22. **ni cosa parecida**   nor anything like it
23. **si es que alguna conservaba**   if any appearance of being a leader was conserved
24. **de plantón**   of standing
25. **el pollo**   the "smart aleck"
26. **juntos del brazo**   arm in arm
27. **todo se le antojará**   everything will seem to him
28. **la cabeza se le irá**   his head will whirl; he will lose his head
29. **bien mirado**   well considered

EJERCICIOS

I. *Contestar:*

1. ¿Qué quiere decir el título de este capítulo?
2. ¿Por qué llegó Delibes a Nueva York dispuesto a compararla a una ciudad alemana? ¿Por qué cambió de opinión? ¿A qué la asemejó? ¿Por qué?
3. ¿Qué calidades norteamericanas se hicieron patentes en el barco?
4. ¿Qué ocurrió la antevíspera de su llegada a Nueva York?
5. Describir la atmósfera a bordo del vapor el último día.
6. ¿Por qué no pudo dormir el viajero la última noche?
7. ¿Que impresión persistió en la primera vista de la Estatua de La Libertad?
8. ¿Por qué prefirió Delibes ver a Nueva York por primera vez en el silencio del alba?
9. ¿Qué efecto síquico se produjo al contemplar a Nueva York? Según la opinión de Delibes, ¿quién podría ser el habitante congruente para Nueva York? ¿En qué sentido?
10. ¿Qué discutieron el señor Delibes y la señorita de la Embajada?

¿Qué quería decir la palabra "el líder" en aquella conversación? ¿Qué preparativos hicieron los Delibes para viajar a los Estados Unidos?

11. ¿Cómo soportó Delibes todos los trámites de desembarco?

12. Describir las primeras impresiones neoyorquinas del autor al pasear en automóvil y al subir al último piso del Empire State.

II. *Describir a Nueva York o cualquier gran centro urbano que Vd. haya visto por primera vez. ¿La vio Vd. a vista de pez o a vista de pájaro? ¿Cuáles eran los aspectos sicológicos o sociológicos que le llamaron la atención?*

III. *Cuente Vd. lo que observó al ver una película extranjera o al visitar una ciudad en otro país.*

IV. *Escribir en español:*

Upon arriving in New York for the first time, one receives a parade of impressions, especially if one arrives by ship at dawn. One observes that the prow of Manhattan Island is flanked by two rivers, that there are many lights which stand out like live coals in the shadows. One passes the Statue of Liberty, but it seems small as one looks at the colossal skyscrapers in the financial district of the city or at the miles of wharves with thousands of ships brought alongside them. One has a sensation of powerlessness and insignificance, like a fish or insect looking at a city that gives, above all, a vertical dimension.

Upon arriving at the customs office, one must present his visa, health papers. One always fears that he will not have enough papers and the inspector will say, "Your papers are incomplete. You have not been vaccinated. You have not had a certain examination made."

In the streets the taxi drivers shout at the pedestrians and the pedestrians at the taxi drivers. All is movement, push, force. One feels overwhelmed and asks himself, "Can man one day be crushed by his own work?"

II
LA ABUNDANCIA

Esto de llegar a los Estados Unidos para empezar diciendo, que éste es un pueblo próspero, no es muy original que digamos;[1] no es descubrir ningún Mediterráneo. Los nuevos cronistas de Indias, en verdad, han de elegir, al arribar aquí, entre dos posibilidades:
5 aceptar el tópico o rehusarle. Esto es, uno puede dedicarse a machacar sobre lugares conocidos o, por el contrario, venir dispuesto a buscar los puntos vulnerables del país, para escarbar en ellos y terminar diciendo que no hay para tanto.[2] Y puntos flacos existen, desde luego, y ya llegará la hora de exponerlos, pero hay
10 también tópicos, como el de la pujanza económica, que no se pueden rehuir y hasta uno diría, que es inexcusable partir de ellos para que todo lo que venga detrás conserve una significación.

Y, ¿es que en tan poco tiempo puede uno percatarse de que es éste un país sólido, desbordado por la abundancia? Es claro que
15 para apuntalar una afirmación de esta naturaleza bastaría echar mano de[3] las estadísticas de producción de acero de Pittsburgh, o de las de petróleo de Texas, o, simplemente, contar las unidades que Ford saca diariamente de sus talleres. Pero, sin necesidad de apelar a las cifras, ni de recorrer el país de punta a cabo,[4] bien
20 puede asegurarse que nos hallamos ante uno de esos países de

13

fábula, donde las conquistas materiales han alcanzado un nivel inimaginable para el hombre de hace simplemente veinticinco años. Merodeando por los alrededores de Nueva York — y en un radio de 100 km, camino de Washington — el viajero advierte que
5 nada resta allí de la obra de Dios. Todo ha sido levantado, removido, socavado, transformado. Uno acepta la gran ciudad únicamente, cuando cuenta con la posibilidad de evadirse, aunque luego transcurran los meses y tal posibilidad no la ponga en práctica. Bajo este punto de vista, el viajero se sobrecogería pensando
10 en lo peliagudo que ha de serle al neoyorquino salir al campo en automóvil, cada domingo, para engullirse una tortilla con patatas.*
Y no porque no haya tortilla o no haya automóvil, que de todo esto sobra aquí, sino, sencillamente porque no hay campo donde trasladarse para engullirla. El cinturón industrial de Nueva York
15 — al menos hacia el sur — es algo asfixiante, opresivo, que se prolonga kilómetros y kilómetros hasta el punto de que uno se inquieta y piensa: "Dios mío, ¿es que será todo así?".[5] Factorías, chimeneas, inmensas naves, fabulosos depósitos, refinerías, más chimeneas, más naves, más factorías. . . He aquí la campiña (?)
20 neoyorquina. El feliz mortal que encuentre dos juncos juntos podrá darse el gusto de decir a los amigos que ha pasado un día de campo. Pero ¿dónde encontrar dos juncos juntos? He ahí, de un lado, el drama del neoyorquino, y de otro, la prueba más fehaciente de la prosperidad del país. Porque si aplicamos toda esa fuerza que,
25 a no dudar, pondrán en movimiento esas naves, y esas factorías, y esas chimeneas, los resultados serán tan abrumadores como los que nos brindan los accesos — túneles, puentes, etc. — del Hudson, del Delaware o de los de cualquiera de estos ríos navegables que constituyen el aparato circulatorio del país. ¿Puede alguien ima-
30 ginar algo más grácil y esbelto que ese puente de hierro de un par de kilómetros que franquea el Delaware, en la autopista Nueva York-Washington? ¿Es que puede ser grácil un puente de esta extensión en el que se han empleado millones de toneladas de

---

* **tortilla con patatas** en España, fritada de huevos batidos con patatas. No es igual ni parecida a la tortilla mexicana.

metal? Pues ahí está para quien quiera verlo. Este país no tendrá catedrales góticas, es cierto, pero bien puede enorgullecerse de un estilo de la era atómica cuyo utilitarismo no le priva de belleza ni de grandiosidad. (Ciertamente nosotros podemos vanagloriarnos
5 de una tradición y de un pasado, pero poco adelantamos hoy encogidos en nuestro sueño de piedra. Es cierto que las piedras acarrean turistas, y que los turistas acarrean divisas, pero bueno será ir pensando en el día que concluya el acarreo y a las divisas tengamos que salir a buscarlas.)[6] Y uno habla de este puente
10 como podría hablar de otros cien mil, porque ésta es otra de las características de este pueblo superpotente: la producción en cadena. Con esto quiero apuntar que eso de la fabricación en serie[7] lo mismo afecta a los puentes de tres kilómetros de largo, como a los automóviles, como a los frigoríficos, como — bajando
15 el tono[8] — a los pollos o a los solomillos de buey.

Evidentemente esta gente no se para en barras[9] y, su lucha contra la naturaleza — o contra la topografía — no es ya tal lucha sino un juego. Pudo significar lucha hace cien años, o hace medio siglo; hoy, su base potencial es tan dilatada que pueden permitirse
20 el lujo de acometer empresas que en el resto del mundo que conozco se nos antojarían utopías.[10] En una palabra, observando de cerca las realizaciones de estos hombres, uno piensa fundadamente que lo de colonizar la Luna no es ninguna quimera; que a la vuelta de pocos años no sólo llegarán a la Luna sino que la alfombrarán
25 de césped como hoy lo están todos los Estados del Este del país. (Eso de que[11] en la Luna no hay agua vamos a dejarlo. Todo será que a estos hombres se les meta en la cabeza alumbrarla. Lo demás es cuestión de tiempo, y, por asegurado[12] no de mucho tiempo. En la estación meteorológica de Washington, que visité
30 una noche, me encontré con una mano mecánica que, una vez conectada con una cinta magnética que recogía las informaciones meteorológicas en todo el hemisferio norte, trazaba — ¡en tres minutos! — , con firme pulso, el mapa del tiempo en todo este hemisferio: presiones, ciclones, anticiclones, temperaturas, etc.
35 Bastaría un resorte más para que la "mano", al concluir su demostración, nos dijese adiós. Pero se ve que estos hombres no quieren

cohibirnos. En la misma estación, está la central receptora de las
informaciones de los satélites artificiales; uno pensaba que estas
cosas eran historietas de tebeo y que los satélites artificiales no
eran, sino unos puntos de luz, meramente ornamentales, en el
5 firmamento. Es preciso acercarse a esta estación para percatarse
de lo que hacen. El satélite Tiros acababa de mandar una fotografía del último ciclón — creo que el Isabelle — que era un prodigio: Una especie de caracol que en la fotografía no ocupaba más
allá de cinco centímetros de diámetro, pero que en la realidad — y
10 en el Caribe lo saben — sacudió en forma en un radio de quinientos
kilómetros. Las fotografías que otros satélites envían a la Tierra,
la verdad, le encogen a uno el ombligo.[13] A uno le dijeron en su
día que la Tierra era esférica y achatada por los polos y respondió:
"Está bien." Pero de eso a verlo con los propios ojos hay una
15 distancia; una distancia que uno no puede recorrer sin estreme-
cerse. Con todo esto, los americanos van haciendo su museo. La
cápsula de Glenn, los cohetes, los restos recuperables de los arte-
factos que condujeron al éter a los otros cosmonautas, han sido
reunidos en un museo sideral que sin desdeñar a los museos ins-
20 pirados por el soplo del espíritu — que aquí no faltan, y no
olvidemos a este respecto la Galería Nacional de Arte de Washington — también encierran su interés y su importancia.)

El maquinismo, vaya, ha alcanzado aquí el tope, o lo que de
momento nos parece el tope, porque no podemos imaginar nada
25 que estas gentes no hayan inventado. Esto quiere decir que aquí
el hombre no trabaja ya, se limita a ver trabajar a las máquinas, y,
lógicamente, a corregirlas cada vez que se desmandan. El trabajo,
como esfuerzo muscular, apenas se concibe. Tan es esto así que
quien llega al país, como llegó el que suscribe, con una mentalidad
30 más o menos aldeana, cría, de inmediato, un inevitable complejo
de máquina. Quiero insinuar que cuando uno se dirige a la taquilla
de un cine, o a una barbería, ignora si será atendido por un hombre o por un ingenio. Uno ya confesó que desconoce el inglés,
pero siempre queda la mímica o la buena voluntad para entenderse
35 con otro hombre. Con una máquina es diferente. Ella cumple su

deber en silencio y sanseacabó.[14] Pero, ¿cómo decirle que uno
quiere el pelo al cero,[15] o sin afeitar el cogote, o —como ahora se
lleva —cortado a navaja? Esto que parecerá una broma no lo es,
si consideramos que los peajes de las autopistas se abonan en una
5 máquina y la máquina, tan pronto digiere el níquel, ilumina su
sonrisa y nos da las gracias. Luego llega uno a un restaurante,
elige lo que más le agrada, frío o caliente, con salsa o sin ella,
pulsa un botón y, en el acto,[16] es servido. Posteriormente se acoge
uno a una casa americana y antes de acostarse todos los miembros
10 de la familia, ante el espejo, oprimen un botón y los cepillos de
dientes comienzan a vibrar solos de arriba a abajo[17] y, una vez
cumplido este principio higiénico, bastará oprimir otro botón para
que los cepillos se coloquen en su lugar descanso. ¿Cómo evitar
el complejo ante situaciones semejantes? Uno, habituado a asear
15 la boca con el sudor de su frente, no puede asimilar en el acto este
grado de mecanización. Pero, por si fuera poco,[18] este pueblo no
se conforma con lo conquistado. Los inventos estimulan la
imaginación hacia nuevos inventos, de forma que uno no descarta
la posibilidad de que en una nueva visita a USA se encuentre con
20 que el cepillo empieza a vibrar, sin necesidad de pulsar el resorte,
tan pronto las cerdas conecten con el esmalte de los dientes y, al
concluir, nos diga "Hasta mañana, señor y, que usted descanse."
Otro detalle: uno, entre bromas y veras,[19] le preguntó a un amigo
americano si no encontraría un limpiaparabrisas minúsculo para
25 las gafas y el americano, lejos de asombrarse, le respondió que
posiblemente eso no, pero sí unas pequeñas viseras para super-
ponerlas a los cristales y evitar que éstos se mojen los días de lluvia.
Y como esto, todo. El desarrollo de la inventiva de este país es
literalmente abrumador. Yo no sé de qué infinidad de recursos
30 podría echar hoy mano Chaplín si se propusiera filmar unos
"Tiempos modernísimos".
Pero empecé hablando de la prosperidad del país, y, poco a
poco, me he ido deslizando del tema. Dije algo de estadísticas
de producción y del cinturón — que apenas es medio cinturón,
35 claro — industrial de Nueva York. Pero, honradamente, creo

que no es necesario leer tanto — las estadísticas —, ni recorrer
tanto — el cinturón — para advertir la pujanza de estos buenos
señores. Esto es, basta tener dos ojos abiertos en la cara y recalar
un cuarto de hora en esta tierra para darse cuenta de ello. En con-
5 fianza, les diré, que uno, sin necesidad de llegarse a Pittsburgh, ni
de preguntarle al señor Ford cuántos coches echa al mercado
diariamente, ha advertido esta realidad sin más que reparar en
dos detalles: las basuras de las casas americanas y las pilas de
automóviles inútiles que flanquean las carreteras. Respecto a las
10 basuras anticiparé que me daría materia para un capítulo entero,
pero debo ceñirme un poco. Únicamente les diré que el americano
no arroja desperdicios al cubo. Éstos los licúa, en dos minutos,
con una trituradora, naturalmente eléctrica. Que ¿qué tira entonces?[20] Sencillamente periódicos y máquinas de afeitar, lava-
15 doras, relojes, planchas, cafeteras, televisores, etc. Entiéndaseme,
arroja esto a la basura cuando se estropea, lo que quiere decir que,
en buena parte de los casos, prefiere sustituirlos, comprar otros,
que llamar a un técnico. (Por otra parte, creo que éste es el secreto
de la economía yanqui.) Sin duda, le resulta más barato así. Y otro
20 tanto[21] debe acontecer con el automóvil, que recibe o da un to-
petazo, o con el que comienza a cacharrear. Así se explican estos
gigantescos montones de coches — rojos, verdes, amarillos, azules
— que se ven en los cementerios y que, a gran escala me recuerdan
los montones de latas de conservas vacías de los vertederos es-
25 pañoles. He aquí, sin proponérmelo, una imagen que facilita una
idea aproximada de la distancia entre parte del Viejo y parte del
Nuevo Mundo en punto a economía.

MODISMOS

1. **que digamos**   let us say
2. **no hay para tanto**   things are not so rosy as they seem
3. **echar mano de**   to resort to
4. **de punta a cabo**   from one end to the other

5. ¿es que será todo así? must the whole country be like this?
6. las piedras acarrean turistas, y que los turistas acarrean divisas, pero bueno será ir pensando en el día que concluya el acarreo y a las divisas tengamos que salir a buscarlas the antiquities bring tourists who in turn bring currency, but it would be well to consider the day when there may be no tourists and we may have to seek our national income elsewhere
7. la fabricación en serie mass production
8. bajando el tono in simpler matters
9. esta gente no se para en barras these people do not stop at anything
10. se nos antojarían utopías we would consider to be utopias or capricious dreams
11. eso de que the fact that
12. por asegurado certainly
13. le encogen a uno el ombligo intimidate one
14. sanseacabó it's all over, finished
15. el pelo al cero all hair removed
16. en el acto immediately
17. de arriba a abajo up and down
18. por si fuera poco as if this were not enough
19. entre bromas y veras half-jokingly
20. Que ¿qué tira entonces? Well, what does he discard then?
21. otro tanto the same thing

EJERCICIOS

I. *Contestar:*
   1. ¿Qué le parecieron a Delibes los alrededores de Nueva York y el cinturón industrial?
   2. ¿Por qué dudaba él que un neoyorquino pudiese ir al campo?
   3. ¿Cómo reaccionó Delibes al uso de metales en las estructuras neoyorquinas? ¿Qué dijo del uso de piedra en España?
   4. ¿Cómo se difiere la lucha contra la naturaleza hoy y hace medio siglo?

5. ¿Cómo demostró Delibes su humor al hablar de la colonización norteamericana de la Luna?
6. ¿Qué observó él en la estación meteorológica de Washington?
7. ¿Cómo sirvió el satélite Tiros en la estación meteorológica?
8. ¿Qué inquietó a Delibes al visitar una barbería o un cinema?
9. Citar ejemplos que Delibes describió a sus compatriotas para probar el complejo de la máquina en los Estados Unidos.
10. ¿Cómo reaccionó un amigo americano a una propuesta de limpiaparabrisas para las gafas?
11. ¿Qué dos detalles le señalaron más a Delibes la abundancia norteamericana?
12. ¿Qué se encontró en las basuras? ¿Qué teoría sostuvo el autor al ver las basuras?

II. *Escribir en español:*
The inventiveness of the American astonishes the European. It makes itself evident everywhere. In a certain kind of restaurant, the American selects what pleases him most, presses a button, and is served immediately. Or, he presses another button and the toothbrush begins to vibrate up and down until he touches another button that stops the movement. If one proposes half-jokingly that there be a windshield wiper for eyeglasses, the American replies that the idea is a good one and explains, furthermore, that there are eyeshades to place over lenses, thus preventing the rain from wetting them. In brief, the American is ingenious in his mechanization. However, he is extravagant because he often discards articles in need only of repair, articles like coffeepots, watches, electric shavers, T.V. sets, irons, washing machines, and of course automobiles. Along expressways one sees many car cemeteries. Instead of calling a mechanic to repair a car that is beginning to fall to pieces, the American takes it to one of these dumping places. Mr. Delibes explains this "abundance" as the secret of Yankee economy, for it helps to maintain mass production of more cars. The American public is sure that it is cheaper to buy a new car than to have the old one repaired.

III
LABORIOSIDAD

Ante una situación tan próspera, ante un nivel de vida tan aparatoso — y nunca mejor dicho — como este pueblo ha alcanzado, uno no puede menos de preguntarse:[1] "Bueno, ¿y cómo empezó esto?" En realidad, no lo sabemos a punto fijo;[2] tan sólo sabemos
5 que el elemento humano le facilitamos nosotros. A América escapaban aquellos a quienes Europa les negaba el pan y la sal y, a veces, el hijo de aquellas excrecencias europeas que las luchas políticas y religiosas dejaron al margen de[3] las respectivas comunidades. Es decir, en punto a[4] sangre — salvo la aportación india, in
10 advertible en el Este — son iguales a nosotros. La única diferencia es que sus inmediatos antecesores tuvieron que elaborarse a brazo casi hasta el suelo que pisaban.[5] Claro que no faltará quien apele a la riqueza del suelo y del subsuelo, a las vías de penetración naturales que procuraron a los colonizadores los caudalosos ríos con
15 que cuenta el país y, más recientemente, a eso que hemos convenido en llamar el imperialismo del dólar (original forma de imperialismo — sin duda menos cruento que el de las bayonetas — pero al que en otra ocasión, habrá que referirse).

Bien, muy posiblemente todo aquello ha cooperado a fabricar
20 esto. Pero tales factores se dan, más o menos, en otras partes sin

que los resultados alcanzados sean no diré espectaculares, sino ni siquiera[6] notorios. Ante esta evidencia, habrá que dar mayor importancia al elemento hombre, no sólo en su individualidad, sino en su manera de organizarse; es decir, tanta influencia habrá que
5 reconocer al espíritu de laboriosidad del individuo, como a la estabilidad y eficacia de las instituciones que estos hombres acertaron a montar. Pero esto puede dar materia para otro capítulo. De momento[7] lo que me interesa subrayar es que si estas gentes son poderosas es porque no han eludido arrimar el hombro.[8] Y aún
10 diría más. Yo diría que los americanos del norte han logrado esto porque desde el primer emigrante hasta el último trabajador de hoy se han sentido libres del prejuicio de que "se les caigan los anillos".* Evidentemente a estos hombres, que lo mismo hacen a un roto que a un descosido, no se les caen los anillos,† esto es, ni
15 presumen de señorío‡ ni, naturalmente, temen perderlo. Quiero indicar que los mismos que en Europa fueron presa de la esterilizadora mentalidad hidalga¶ que tan rápidamente destruyó organismos enteros, como la poderosa España del siglo XVI, una vez aquí no le hicieron ascos a[9] coger el pico y la pala y ponerse a
20 cavar. Esto es explicable si consideramos que tales prejuicios absurdos vienen fomentados por la sociedad en que se vive. Una vez abandonada esta sociedad, ¡adiós prejuicios! Es lo mismo que los aristócratas rusos que hoy andan conduciendo un taxi por las calles de París; han tenido que abandonar su suelo y su sociedad
25 para darse cuenta de que conducir un taxi es una profesión noble y digna, infinitamente más honorable que vivir como un parásito a cuenta de un apellido y de un título.

* **libres del prejuicio de que "se les caigan los anillos"**   libres del prejuicio de que sea humillante cierto trabajo.

† **que lo mismo hacen a un roto que a un descosido, no se les caen los anillos** no pierden categoría social cuando trabajan en cualquier tarea.

‡ **señorío**   una palabra que desprecia a un individuo por sus actitudes presumidas.

¶ **mentalidad hidalga (hidalgo = hijo de algo)** un título representando cierta categoría social en la cual el individuo desdeñaba trabajo a pesar de ser hambriento y harapiento, condiciones que escondía él por sus modales públicos bien presumidos.

Semejante disposición sicológica no la ha perdido el americano
de hoy. Al americano de hoy tampoco se le caen los anillos. Deja a
la puerta de su casita de madera un Chevrolet último modelo y, sin
más,[10] entra en la cocina y se pone a barrer o a fregar los cacharros.
5 Con los prejuicios se le ha disipado esa vieja concepción del
macho,* o sea que aquí no tienen validez alguna nuestros dichos —
y dichos orgullosamente, a boca llena[11] — de "yo me visto por los
pies"[12] o "yo me afeito todos los días". No ofrece duda que también el americano del Norte se viste por los pies y se afeita todos los
10 días, pero tales cosas no impiden que eche una mano[13] para segar
la yerba del jardín o para despachar la fregadera. Quizá parezca
todo esto una puerilidad, pero uno es de los que creen que las
grandes cosas suelen responder a motivos aparentemente triviales.
Y digo aparentemente, porque si el hecho de echar mano a la
15 escoba lo es en sí, no lo es tanto lo que este hecho representa: el
abandono de unos prejuicios estúpidos y de una concepción de la
varonía totalmente desenfocada.

Pero vayamos a los ejemplos prácticos. Una de las sorpresas que
me brindó mi llegada a la Universidad de Maryland fue observar
20 que aquí no existen bedeles,† es decir, ordenanzas. Tal profesión,
habiendo otras profesiones en las que encajar el esfuerzo de estos
hombres, más rentables para ellos y más eficaces para la comunidad, realmente no tiene sentido. Por aquí abocamos al practicismo
de este pueblo del que también hablaremos. Así resulta que para
25 dar la hora, llevar un vaso al conferenciante, o la toga al profesor,
no hacen falta, en realidad, media docena de hombres. El profesor
tiene reloj, y tiene manos, luego puede darse la hora a sí mismo y
llevarse la toga donde haga falta sin que por ello se menoscabe su
dignidad. Esto es evidente aunque no por evidente la vieja Europa
30 se apee de sus pujos de señorío. Mas ¿se nos ha ocurrido pensar si
nuestros bedeles se lamentarían acaso de tener que abandonar su

---

* **macho** un hombre muy hombre que a su parecer disminuiría su autori-
dad masculina con el desempeño de funciones domésticas.

† **bedeles** medio porteros, medio vigilantes que desempeñan servicios
humildes por los profesores o de vez en cuando por unos estudiantes.

profesión si les brindásemos otra donde decuplicar sus ingresos?
¿No preferirían nuestros universitarios — nuestros catedráticos de
Universidad — prescindir de esa arcaica institución y disponer, en
cambio, de los laboratorios, las bibliotecas, los quirófanos y los
5 medios de trabajo de que dispone hasta la Universidad más pobre
de este país?

En Norteamérica se trabaja y se paga el trabajo; el señorío — el
enervante y caduco concepto de señorío que aún alimentamos los
europeos — no tiene sitio aquí. En suma, los anillos no se caen, tal
10 vez porque aquí no hay anillos o hay muy pocos. Todo este
espíritu de trabajo, como no podía menos,[14] revierte en abundancia
y en abundancia para todos. O sea, hay mucho y, lo mucho, no
diré igual, pero sí está dignamente repartido. Salvo grupos des-
bordados por la dinámica económico-social de los últimos lustros
15 bien puede afirmarse que todo americano tiene acceso a lo superfluo. Y un mercado consumidor fabuloso — 180 millones — implica
una producción fabulosa. Ésta es una verdad de pata de banco.[15]
La vida se ha organizado aquí a nivel del peón — no para que
coma un pedazo de pan y un cacho de tocino, sino para que viva
20 humanamente y hasta con su automóvil — y, consecuentemente,
todo lo que excede de ahí es dinero que corre en cosas "no nece-
sarias". Los Estados Unidos, en suma, es uno de esos países donde
uno puede ponerse a jugar al golf sin sonrojarse. Los que miran, a
buen seguro, no juegan porque no quieren. Quizá tampoco puedan
25 hacerlo sobre el mismo césped que el millonario, pero ¿qué importancia tiene eso? El que quiera pagar la tontería que la pague.
Las clases, creo yo, dejan de ser irritantes una vez que la baja es
más que media y la media es más que alta.

De lo antedicho se deduce que nuestra modesta aspiración de
30 "ni un hogar sin lumbre ni un español sin pan", la han traducido
los americanos de esta forma: "Ni un hogar sin jardín, ni un americano sin Chevrolet" y, a fe,[16] que lo han conseguido. En los "parking" de la Universidad de Maryland se alinean diariamente 18.000
automóviles (hay que aclarar que el número de profesores no
35 rebasa el millar, luego 17.000 pertenecen a los estudiantes que, en

total suman 22.000). Por supuesto, el basurero, el jardinero, los porteros de las casas de vecinos, disfrutan también de un flamante automóvil. Todo esto ha traído consigo una cosa: una alta consideración del peatón. Un hombre que anda a pie entre mil que
5 caminan en automóvil, es un ave rara a la que se mira desde detrás de los cristales, se le cede el paso, se le sonríe, e, incluso, se le brinda un asiento a nuestro lado preguntándole si se ha perdido (esto último, hilando delgado,[17] es más raro, supuesto que un ser que ande a pie en este mundo rodado es normalmente un sospe-
10 choso).

A la vista de lo expuesto[18] no es exagerado afirmar que nos hallamos ante un país holgado. Las cosas se han organizado de tal manera que a este pueblo no le queda otro remedio que tirar para adelante.[19] Su desarrollo continuará aunque no lo quieran y, lo
15 que es más significativo, con un esfuerzo cada día menor. A este respecto es preciso anotar que la semana de cinco días es ya un hecho en todas partes. Las tardes de los viernes no se piensa sino en la manera de matar los dos días festivos que se avecinan. La conquista es importante seguramente. Y, sobretodo, es un indicio.
20 Como lo es, igualmente, el hecho, repetido cada día, en cada ciudad, en cada lugar, de que para desplazar un hombre a su trabajo se muevan una tonelada y media de acero y se consuman 15 o 20 litros de carburante. (Esta afirmación no es arbitraria. El 80 por 100 de los coches que desfilan por las calles de Nueva York o de
25 Washington, o en ciudades más reducidas como Lafayette o Chapel Hill, van con un solo tripulante* y son automóviles de seis a ocho plazas.) Este hecho puede, no lo dudo, por un lado,[20] contradecir mi opinión anterior sobre el practicismo americano pero, por otro, demuestra hasta la saciedad que Estados Unidos es un país sobrado
30 que tiene, por el momento, para dar y tomar.†

* **tripulante** pasajero.
† **que tiene, por el momento, para dar y tomar** que sobra una abundancia para ellos y para los demás.

MODISMOS

1. **uno no puede menos de preguntarse**   one cannot do less than ask oneself
2. **a punto fijo**   precisely, with certainty
3. **al margen de**   outside of
4. **en punto a**   with regard to
5. **tuvieron que elaborarse a brazo casi hasta el suelo que pisaban**   had to work with all their strength even the very ground on which they walked (i.e., every inch of ground)
6. **ni siquiera**   not even
7. **de momento**   at the moment
8. **arrimar el hombro**   to put one's shoulder to the wheel
9. **no le hicieron ascos a**   they did not turn their noses up at it (i.e., work)
10. **sin más**   without more ado
11. **a boca llena**   with an inflated ego
12. **"yo me visto por los pies"**   "I dress up fit to kill," "I dress very well"
13. **que eche una mano**   that he lend a hand
14. **como no podía menos**   as one might expect
15. **de pata de banco**   undeniable
16. **a fe**   upon my faith, upon my word
17. **hilando delgado**   to be precise
18. **a la vista de lo expuesto**   in light of what has been revealed
19. **tirar para adelante**   to pull ahead
20. **por un lado**   on the one hand

EJERCICIOS

I. *Contestar:*

1. ¿Quiénes abandonaron a Europa para venir al Nuevo Mundo?

2. Desde el primer emigrante, ¿de qué prejuicio se han sentido libres los norteamericanos?
3. ¿En qué ha consistido la actitud europea hacia el trabajo? ¿Cómo se explica tal prejuicio?
4. ¿Por qué han proclamado los españoles "yo me visto por los pies" o "yo me afeito todos los días"?
5. ¿Dónde y cómo funciona el bedel español?
6. ¿Qué propuso Delibes para mejorar la vida del bedel y la del catedrático?
7. ¿En qué revierte el espíritu de trabajo en USA?
8. ¿A qué nivel se ha organizado la vida estadounidense?
9. ¿De qué se trata la referencia al juego de golf?
10. ¿Cómo se probó lo común que es el automóvil norteamericano?
11. ¿Cómo se trata al peatón estadounidense?
12. ¿Cuántos días por semana se trabaja generalmente?
13. ¿En qué piensa la gente los viernes?
14. ¿Qué demostró a Delibes hasta la saciedad que los Estados Unidos es un país sobrado?

II. *Escoger unos temas para escribir una composición o para discutir en la sala de clase:*
1. Las distintas actitudes hacia el trabajo dentro de los Estados Unidos y al extranjero.
2. La importancia del automóvil en USA.
3. Los problemas que tienen los estudiantes trabajando y estudiando simultáneamente.

III. *Escribir en español:*
When colonizers first arrived in the USA, they had to work very hard. They did not avoid putting their shoulders to the wheel. They did not turn up their noses at picking up the pickax and shovel to dig. They felt free of any prejudice that work was humiliating.
The same spirit exists today. After working in laboratories or

offices all day, Americans return home in their latest-model cars, leave them at the doors of their little frame houses, and begin to work as gardeners, etc. They mow their grass, wash the sink, take up a broom and sweep or do other apparently trivial things. Consequently, it is not surprising that this laborious spirit of individuals has given stability and efficacy to the American society.

The five-day week is a fact. On Friday afternoons, one thinks of a way to kill time the next two days. One can work in one's garden or play golf or take a walk, although a human being who walks is normally a suspected person. But he can ride in his automobile. Everyone has a car: the garbage man, porters, gardeners, students, professors, customs inspectors, etc. The U.S. is an abundant country.

IV

SOBRE RUEDAS

El lector se preguntará, a la vista de la mecanización de este país, del hecho de que, desde que nace, uno marche ya en automóvil, que para qué sirven aquí los pies. La pregunta es pertinente y la respuesta sencilla: el derecho sirve para acelerar; el izquierdo para
5 frenar. Solamente para eso. "¿Y el embrague?", dirán ustedes. Y uno responde: "Para el embrague no hacen falta pies en América, porque el cambio es automático." Ya tenemos, pues, resuelta la cuestión y, aunque quizá expuesta con excesivo simplismo, tampoco se piense que se aleja demasiado de la realidad. A menudo el
10 viajero se topa por las hermosas avenidas de Washington con venerables octogenarias que conducen diestramente su automóvil, pero que, a la hora de desembarcar, hay que tomarlas poco menos que en volandas[1] para trasladarlas a casa. Esto no es óbice para que, con los pedales en los pies, las ancianitas se desenvuelvan
15 con una rapidez de reflejos que para sí quisieran muchos de nuestros futbolistas.

Claro está que esto del coche es aquí una exigencia. Las distancias inconmensurables, el hecho de que la inmensa mayoría de los americanos vivan en el campo, impone el coche no como
20 utensilio de primera, sino de inexcusable necesidad. Un hombre —

o una mujer — sin automóvil en Nueva York, Washington o
Chicago, es un ser anclado, sin posibilidades de nada, ni siquiera
de ir una tarde al cine o de comprar los víveres para la semana. Un
inútil, en suma. Más inútil que pueda serlo un paralítico en cual-
5 quier ciudad española.

De modo que la cosa empezó así: tomar el coche para ir al trabajo era una necesidad, pero gradualmente, cada vez que el americano salía de casa, empezó a no preguntarse dónde iba, ni si su
destino era próximo o remoto; por instinto abría la portezuela del
10 coche y se embutía en él. Hoy, este movimiento es en él tan espontáneo como pueda serlo para nosotros el de rascarnos cuando nos
pica.

Total, que aquí no se camina; es decir, no se camina a pie. No
hablemos de pasear. Esa costumbre tan provinciana, tan agrada-
15 ble, tan reposada, que todavía se conserva en España, no creo que
en estas latitudes haya existido nunca. En América los muchachos
y las muchachas pueden conocerse y contemplarse a través de las
respectivas ventanillas de sus coches; de otro modo, el flechazo
en plena calle[2] no es concebible. No es preciso añadir que a un
20 hombre con obsesión andariega, se le hace difícil la vida aquí. (En
mi barrio washingtoniano debí sentar fama de bicho raro.[3] A
veces observaba con el rabillo del ojo cómo se descorrían las cor-
tinas de las encantadoras viviendas unifamiliares y un rostro o
varios rostros se pegaban a los cristales para verme pasar. Imagino
25 que el primer día se dirían: "¿Pero es que este hombre no tiene
automóvil?". Después, supongo, los comentarios serían mucho
más contundentes: "Ya está ese tipo medio loco andando por la
calle." Sí, yo adivinaba sobre mis espaldas miradas de asombro,
cuando no,[4] estas miradas, partían de los coches con los cuales me
30 cruzaba en mi camino.) En todo caso, la presencia vertical de uno
en las avenidas residenciales de Washington es un fenómeno que
choca. Porque andar, lo que se dice andar, en USA no se lleva.[5] Si
es caso, allá, al atardecer, uno puede toparse con otro ser que con-
duce a su perro por la correa para que el animalito se oree y haga
35 sus necesidades. Por lo demás — fuera de los supermercados y de

los grandes almacenes, levantados en grupo, en edificios contiguos, para que el comprador no se fatigue — , no es fácil encontrar una persona de a pie. (Y para esto resulta obvio que cada "shopping center", y cada cine, y cada museo, cuentan con su aparcamiento propio, a fin de dar a la clientela toda suerte de facilidades.)

    Todo esto origina en el país una especial psicología. De la misma manera que en los pueblos menos desarrollados dedicamos nuestra atención preferente a que los bebés se suelten a andar,[6] aquí, desde que el niño tiene unos meses, se le habitúa a que se suelte a conducir. Para ello existen unas butaquitas adosables al asiento delantero del automóvil y unos volantes de plástico que se adhieren al parabrisas[7] mediante una ventosa, con lo cual el bebé recibe, digamos, sus lecciones iniciales de piloto. A los quince años el washingtoniano puede realizar su examen de conductor,[8] y una vez aprobado, manejar un automóvil siempre que le acompañe una persona mayor. Tal tutela desaparece un año más tarde, de forma que a los dieciséis un muchacho o una muchacha pueden desplazarse a su "college" o a la Universidad por sus propios medios, sin necesidad de molestar a nadie. (Sobre los exámenes de conducir podría igualmente hablar largo y tendido.[9] Quiero subrayar solamente, sin embargo, que la base del examen, en el distrito de Columbia, es un "test" con cerca de cien cuestiones y que, como en el "¿Está usted seguro?" de "La Codorniz",* van acompañadas de tres respuestas cada una. El examinando es objeto de una serie de preguntas y cumple señalando con una cruz la contestación que le parece atinada. Basta depositar la cartulina cumplimentada en una máquina para que ésta facilite el resultado en pocos segundos. Preciso es decir que si el sistema evita al aspirante a conductor el sonrojo de que su ignorancia trascienda,[10] tampoco resulta demasiado alentador el que sea una máquina la que nos dé el aprobado; la que, en definitiva, nos diga si estamos o no en condiciones de utilizar otra máquina. He aquí un símbolo más del automatismo

---

* **"La Codorniz"**   la más antigua revista de humor española.

— que en definitiva, es economía de personas — de la civilización americana.)

En suma, la pierna tiene en Norteamérica una aplicación muy reducida. No es que sean miembros inútiles, pero sí un poco lo que
5 es para los diestros la mano izquierda o la derecha para los zurdos: una extremidad utilizable, pero inhábil e imprecisa. Esto justifica el hecho de que este país, que da de todo, y en abundancia, dé pocos futbolistas de la escuela inglesa y, por descontado,[11] ningún rey de la montaña.[12] (En los Estados Unidos se ven contadas bi-
10 cicletas. A veces, los estudiantes — como sucede en Yale — las utilizan dentro del recinto universitario.[13] También es frecuente ver a los niños zigzagueando por los parques en unas bicicletas de llanta muy ancha y manillar levantado, como las que utilizan los equilibristas en los circos.) Pero volviendo al fútbol, mientras el
15 americano no prescinda del automóvil, rara vez podrá alternar con un sudamericano o un europeo. Y no porque no sean fuertes — que lo son y bastante más que nosotros —, pero carecen de aptitud para el regate y el gambeteo. He asistido a varios partidos de fútbol entre equipos universitarios y he observado eso: absoluta incapaci-
20 dad para driblar a un contrario, poca imaginación para aplicar a los pies y absoluta imprecisión en los pases y en los tiros a gol. Total, que aquello se reduce a un repertorio de cargas y encontronazos, reminiscencias del rugby. (Dato curioso, los futbolistas americanos, en un alto porcentaje, se pintan dos rayas negras en
25 los pómulos, bajo los ojos. Al parecer, con ello se evita la reverberación del sol y, al propio tiempo[14] — según información de espectadores sudamericanos —, hace más "tough", es decir, más recio, más fiero. No he podido comprobar tales extremos — es decir, su eficacia — pero, en todo caso, es el único detalle que recuerda, en
30 punto a indumentaria y ornato, la convivencia con los indios durante siglos.)

La fortaleza física del norteamericano hace más patente su torpeza de remos. Los americanos son malos bailarines y andan desgarbadamente, con frecuencia arrastrando los pies. El hecho
35 de que cultiven el deporte con asiduidad no les libera de esta

especie de agarrotamiento. Claro es que los deportes que preferentemente frecuenta el yanqui son deportes que exigen cierta precisión manual — tenis, baloncesto, beisbol, golf — pero donde las
piernas apenas sirven para otra cosa que para sostenerse y despla-
5 zarse. Otro dato: el ballet aquí no tiene el mismo desarrollo que en
Europa. Existe una excelente compañía en Nueva York, pero con
incrustaciones rusas y polacas. En suma, las piernas norteamericanas apenas sirven para otra cosa, como dije más arriba, que para
frenar y acelerar.
10 Esta disciplina de carretera, donde cada cual tiene su banda en el
lado correspondiente de la autopista, y le obliga a frenar cuando
frenan los coches que le anteceden sin poder cruzar alegremente a
otra banda más expedita, ha originado asimismo la rutina de la
fila, o, como diríamos nosotros, de la cola. Creo que a esta costum-
15 bre de la cola — que se articula en cuanto media docena de americanos coinciden en un mismo empeño: tomar el autobús o entrar
en un cine — se le ha querido dar una explicación sociológica y se
ha apelado a vocablos rimbombantes, como "gregarismo",
"espíritu de masa", "socialización", etc., cuando, a mi ver,[15] la
20 cosa es mucho más sencilla que todo eso: los americanos se ponen
en fila, porque en la carretera van en fila, porque desde que
nacieron han ido uno detrás de otro, bien que[16] en automóvil. Al
descender de él, de Pascuas a Ramos,[17] domina en ellos el mismo
espíritu disciplinado. Que tal explicación es la más convincente lo
25 demuestra el hecho de que en las iglesias católicas, cuando los
fieles se dirigen a comulgar, la doble fila progresa gradualmente,
ordenadamente, pero si, de pronto, surge otro comulgante en los
bancos delanteros y la persona que está en la esquina sale al pasillo
para dejarle pasar, la fluidez se interrumpe, surge la paralización
30 total, pese a que el pasillo sea ancho de cinco metros y la fila de
fieles podría holgadamente rodearle sin promover la menor confusión. Pues no,[18] ante un caso así, se produce un frenazo colectivo,
un auténtico colapso y en tanto[19] la persona que cedió el paso no
vuelva a ocupar su lugar en el banco, la fila no reanuda su camino.
35 La disciplina del automóvil ha originado en el norteamericano una

segunda naturaleza que se manifiesta en todas sus actividades y actuaciones.

En fin,[20] el automóvil es para este país, lo que los pies para el nuestro. Aquí no se gastan medias suelas, sino neumáticos; apenas
5 hay zapateros pero existen mecánicos y talleres en cada esquina. Un automóvil usado vale dos reales* y, si no anda, habrá que pagar para que se lo lleven, para que lo tiren donde no estorbe. Y por si todo esto fuera poco[21] el automóvil sirve para la propaganda electoral o, sencillamente, para decirnos que su dueño quiere deshacerse
10 de él. Por las pistas americanas es muy frecuente ver coches con un cartelito en la parte posterior que dice: "Lo vendo: teléfono XYZ" o bien, "Vote a Fulano" o "Vote a Zutano". Uno no quiere pensar en lo que sucedería si una noche una gigantesca aspiradora absorbiera todos los automóviles de Washington o Nueva York.
15 Sin duda, el señor Ford cuando se agachó a coger un alfiler — que así es como dicen las buenas lenguas† que empezó este señor — no sospechaba la enorme trascendencia que para el mundo, o para el Nuevo Mundo, o para una parte del Nuevo Mundo siquiera, iba a tener su gesto. ¡Estaba empezando nada menos que a proyectar
20 sus nuevas piernas!

MODISMOS

1. **poco menos que en volandas**   at a slower pace
2. **en plena calle**   right in the middle of the street
3. **bicho raro**   "rare bird", curiosity
4. **cuando no**   if not
5. **no se lleva**   is not carried on, is not practiced
6. **se suelten a andar**   start out to walk
7. **que se adhieren al parabrisas**   which are stuck to the windshield
8. **puede realizar su examen de conductor**   can take his driver's test

* **real**   moneda de plata, equivalente a veinticinco céntimos de peseta.
† **como dicen las buenas lenguas**   según los rumores.

9. **tendido**   at length
10. **si el sistema evita al aspirante a conductor el sonrojo de que su ignorancia trascienda**   if the system prevents the driver's license applicant from blushing before someone because of his lack of knowledge
11. **por descontado**   not to mention
12. **rey de la montaña**   outstanding mountain climber
13. **recinto universitario**   university area
14. **al propio tiempo**   at the same time
15. **a mi ver**   in my opinion
16. **bien que**   although
17. **de Pascuas a Ramos**   from Easter to Palm Sunday *or, figuratively*, always
18. **pues no**   well , no
19. **en tanto**   while, as long as
20. **en fin**   finally
21. **por si todo esto fuera poco**   if, in any case, all this were not enough

EJERCICIOS

I. *Contestar:*

1. ¿Para qué sirven los pies norteamericanos?
2. ¿Cómo conducen las ancianas sus automóviles por las avenidas de Washington?
3. ¿Qué impone el coche como utensilio de inexcusable necesidad?
4. ¿Cómo originó el uso espontáneo del coche?
5. ¿Cómo se describe la costumbre española de pasear?
6. ¿Cómo pueden conocerse los jóvenes norteamericanos?
7. ¿Cómo interpretó Delibes la reacción de sus vecinos hacia sus paseos en Washington?
8. ¿Con quiénes topó Delibes durante sus paseos?
9. ¿Dónde se encuentran aparcamientos?

10. ¿Cómo recibe el bebé norteamericano sus lecciones iniciales de piloto en el coche?
11. ¿Cómo describió el autor el examen de conducir?
12. ¿Qué es la ventaja de la máquina que facilita el resultado del examen en pocos minutos?
13. ¿Se usan mucho las bicicletas en USA?
14. ¿Qué carecen los equipos universitarios en sus partidos de fútbol?
15. ¿Por qué se pintan dos rayas negras en los pómulos de los futbolistas? ¿A qué se parece esta costumbre?
16. ¿Qué clase de deportes frecuenta el yanqui preferentemente? ¿Por qué?
17. ¿Cómo explicó Delibes la costumbre de ponerse en fila? ¿Qué observó él en las iglesias católicas de los Estados Unidos?
18. ¿Qué dijeron los cartelitos que le llamaron la atención a Delibes por las autopistas?
19. ¿Por qué se ven más mecánicos y talleres que zapateros?
20. Investigar los deportes predilectos de los españoles.

II. *Escribir en español:*

Mechanization in the United States permits Americans to travel more easily. The majority ride(s) in an auto whether the destinations be near or remote. Early in the life of an individual, he learns to drive as well as to walk. Babies have little seats attached to the front seat of the car and nearby is a plastic wheel which they can move and thus begin their first lessons in driving a car.

Of course, the car is a necessity in this country because of the great distances. But it is so easy to open the car door and to climb in even when there is little need to ride too many kilometers. Without a doubt, the American who uses his feet is believed to be a rare bird or too poor to buy a car. However, one does not believe him to be half crazy when he walks in order to air his dog on a leash. One rides to buy groceries, to go to museums or movie houses, in short, to go everywhere. In order to help the customer, so that he does not tire too easily, there are large parking spaces near supermarkets and large stores. It is clear that one gives the clientele every kind of facility.

Europeans generally like the quiet, pleasant, provincial custom of walking. They walk to the parks or plazas in their towns, sit down to talk with their friends or to take coffee perhaps, and then they return home on foot. Children, mothers, young and old people — all visit the parks by foot.

It is interesting to observe that Americans in Europe learn to use their legs, and Europeans in the USA learn to drive cars more frequently. Americans climb many floors in a European museum, for example, because there are no elevators. They walk long hours through the streets of a city or town. On the other hand, Europeans quickly understand the importance of a car to travel long distances or short ones. There are few possibilities of doing anything without an automobile, not even going to the movies some afternoon or of buying groceries for the week.

V

UN CONTINENTE SIN POLVO

Quizá sea el yanqui el cine más engañoso de nuestros días. Y digo esto porque raramente puede captarse un levísimo atisbo de lo que la vida norteamericana es a través de[1] la pantalla. Lo mismo puede decirse en lo atañedero a sus paisajes y ambientes. Y tan es
5 esto así que el viajero que arribe a Norteamérica por primera vez y observe en derredor[2] se siente instantáneamente defraudado, estafado, miserablemente engañado. No ya, tal vez, en Nueva York, puesto que la idea de América que el cine nos ha comunicado es, aunque desvitaminizada[3] y vagorosa, algo que puede rela-
10 cionarse con la vida de Nueva York o Chicago, esto es, con la vida celular de esas colmenas disparatadas donde el hombre es apenas algo más que una abeja, pero no con la vida americana en general. Pero ¿es que Nueva York no es la ciudad yanqui por excelencia?[4] ¿No es Chicago una concentración urbana fabulosa, norteameri-
15 cana ciento por ciento? Rotundamente, no. Interpretar la vida americana a través de la vida neoyorquina o la vida de Chicago nos llevaría a conclusiones inexactas, lo que equivale a afirmar que Nueva York o Chicago, a estos efectos, son unos testimonios no mucho más fidedignos que la cinematografía del país.
20　　De momento[5] no me interesa sino subrayar que la idea europea

de la vida americana gira en torno del apartamento. Un apartamento con su nevera, su televisión y toda la comodidad que pueda
imaginarse, pero un apartamento minúsculo, perdido en la inmensidad de la gran urbe, sin posibilidades de expansión. Pues bien,[6]
5 esto que es valedero para Nueva York, Chicago y el corazón de
alguna otra gran ciudad, como Filadelfia o Los Ángeles, no lo es
para el sesenta o el setenta por ciento del pueblo americano. El
pueblo yanqui vive en el campo y en viviendas unifamiliares. (En
rigor,[7] los matrimonios americanos no buscan un piso para toda la
10 vida, sino el más adecuado para cada circunstancia. No existe allí
un problema sentimental en este aspecto. El americano cree — y
cree bien[8] — que el hogar no tiene nada que ver con los tabiques y
con los sillones. De aquí que,[9] ordinariamente, el yanqui, a lo largo
de[10] su matrimonio, cambie tres o cuatro veces de habitación. A
15 este tenor[11] podría casi señalarse un proceso ineluctable y muy
sensato; un ciclo cerrado, desde que uno se casa hasta que se casan
sus hijos, al que se somete la mayor parte del país; esto es, un ciclo
típico que, por regla general, sigue estas pautas: 1.º Apartamento
minúsculo hasta que llega el segundo hijo. 2.º Una casa pequeña
20 en las afueras, con un jardín, hasta que los niños y los ingresos
crecen. 3.º Una casa grande en un barrio residencial. Y 4.º y último, vuelta al minúsculo apartamento una vez que los hijos concluyen sus estudios, se emancipan y el matrimonio se queda de
nuevo[12] solo.)
25 Después de recorrer una buena parte del país, el viajero llega a la
conclusión de que el campo americano se ha metido en las ciudades, o, si lo prefieren, que las ciudades americanas han salido al
campo a tomar el aire. La ciudad representativa de los Estados
Unidos, viene a ser un conjunto de casas con árboles; el campo
30 representativo de los Estados Unidos viene a ser un conjunto de
árboles con casas. En puridad, el Este del país es todo él un semi-
campo — o un vicecampo, como diría el difunto Fernández
Flórez* — lo que quiere decir que no hay ciudad sin abundante
fronda, ni campo — salvo los bosques, grandes y, a menudo, im-

* **Fernández Flórez** escritor humorístico español ya fallecido.

penetrables — totalmente deshabitados. Con otra particularidad:
la mayoría de las casas americanas son de madera, de tablas hori-
zontales, pintadas generalmente de blanco — otras van en rojo en o
verde — y con las vertientes de los tejados, muy pronunciadas, a
5 varias aguas.[13] Naturalmente que las hay mejores y peores, siquiera
las diferencias, como sucede con los coches, no sean notorias. En
USA, la elegancia, la distinción va por barrios; es decir, tal barrio
es elegante porque es caro y es caro porque es elegante, pero al
forastero hay que decírselo porque tal hecho solamente en oca-
10 siones le entra por los ojos.[14] Cara o no, elegante o no, a la casa unifamiliar norteamericana no le faltarán dos cosas: el porche y el
césped. Porches de distintos tamaños, cerrados o abiertos, pero
porches con su terradillo y su baranda, sostenidos por unas senci-
llas columnas. Estos porches — de ordinario con su mecedora —
15 diferencian la vivienda americana y le dan carácter, bien entendido
que[15] este elemento resulta tan inexcusable en el sur — Carolina o
Louisiana — como en el norte — Wisconsin, Massachusetts —,
como en el centro del país — Missouri o Indiana —. Tales porches, por otro lado, prestan a las casas donde se recuestan una
20 gracilidad, una airosa ingravidez y, al propio tiempo, la imprimen
un sentido hogareño y acogedor.

El otro elemento de la vivienda americana, es el césped: un
césped limpio, mimado, restallante, que circunda las casas y, en las
ciudades, linda con el pavimento de las aceras. La presencia del
25 césped en los Estados Unidos es tan constante que incluso en los
bordes de carreteras y autopistas, durante cientos de kilómetros,
hay un césped segado a cepillo,* sumamente refrescante y decora-
tivo. Esto del césped es algo tan inevitable que el viajero, al
pronto,[16] imagina que se trata de un don del cielo; que la finísima
30 hierba nace sola, crece sola y se corta sola. Bastarán, sin embargo,
unas semanas en el país para observar cuántos sudores le cuesta
al americano su césped. Así los viernes y los sábados por la tarde
es frecuente ver al marido, o a la esposa, o a cualquiera de los

---

* **césped segado a cepillo** Se refiere a un césped muy cortado, a un nivel
con los bordes de carreteras.

niños con el tractorcito o la segadora adecentando el jardín. De cuando en cuando[17] — siempre con frecuencia — se resiembran las calvas, se abona el macizo, se rastrillan las hojas secas, etc. Y si la sequía aprieta hay que regar el césped, refrescarle como
5 sea. El norteamericano sabe que, aparte de la familia, hay otra cosa viva en la casa que depende de él; jamás se olvida de su hierba. Esto hace posible que las pequeñas y grandes ciudades americanas ofrezcan unas perspectivas tonificantes, de una uniformidad, sin un fallo, que realmente edifica. (Bastaría un vecino
10 descuidado para estropear una calle, ello es evidente. Pues bien, este inquilino descuidado, rara, rarísima vez se da.[18]) Es más,[19] el césped cuenta en la industria y el comercio americano: se venden sacos con tierra especial, con semillas selectas, con abonos específicos ... Tales diferencias se hacen sensibles especialmente al
15 llegar el invierno; es decir, hay céspedes perennes y céspedes que secan con los fríos. (Al parecer, la preferencia de no pocos americanos por el césped caduco se debe a que este césped cierra* más, resulta un enemigo irreconciliable de las parásitas; se defiende solo. Ésta es su ventaja. La desventaja, el tono marchito, pajizo con que
20 otoña y que obliga a los americanos a teñirle como si se tratara de una cabeza cana. El tinte del césped caduco indica hasta qué punto nos equivocamos al pensar que los céspedes que vemos y admiramos en este continente son floraciones espontáneas.)
Este amor por la hierba no sólo se traduce en una grata sensa-
25 ción estética para el contemplador, sino que rinde un servicio utilitario — como todas las cosas aquí — evidente. Norteamérica ha conseguido desterrar el polvo, no ya de sus ciudades sino de sus campos. El caso es que allí donde no alcance el sembrado, alcance el asfalto y donde asfalto o sembrado no llegue, llegue el
30 césped. A este respecto es curioso observar lo difícil que es hallar en Estados Unidos, no diré una carretera — cosa imposible — sino un camino, por pequeño que sea, de tierra. Allí donde surge un camino se elimina el polvo cubriéndole con un riego asfáltico.

* **cierra** resiste.

No hay que decir que las carreteras son pavimentos completos,
sin bordes, rebabas, ni descarnaduras.
Y en los desmontes o terraplenes se siembran plantas rastreras,
muy prolíficas, para sujetar la tierra. En resumen, que estos señores
5 han conseguido un continente — ignoro lo que ocurrirá en
Arizona y Nuevo México — sin polvo, un país donde cuarenta y
cinco millones de automóviles pueden circular simultáneamente
sin levantar nuestra característica "nube de polvo". Y hasta tal
extremo es esto cierto que en las zonas de pastizales y bosques —
10 muy extensas zonas — uno podría marcharse del país sin saber
de qué color es la tierra que pisa a no ser por la delación de las
máquinas[20] de alguna obra que estén removiendo aquélla.
Pero más arriba dije que en estas ciudades americanas se ha
colado subrepticiamente el campo. Esto no significa que en las
15 ciudades existan muchos árboles o dilatadas extensiones de césped.
O, más exactamente, no significa sólo eso. El americano ha tenido
el buen gusto de no amurallar sus casas, de no vallarlas. Un inacabado seto de ciprés, a veces un rosal, o sencillamente nada, entre
propiedad y propiedad. De este modo, y al no someterse a ali-
20 neaciones rígidas, las casas están como diseminadas en un bosque,
de manera natural. Los olmos, los castaños, los arces, los sauces
llorones se levantan entre ellas sin que se sepa exactamente a qué
casa pertenecen, quién es su dueño. Hay en este sistema, junto a
una renuncia al individualismo un desdén hacia los fríos esquemas
25 urbanos o, lo que es lo mismo, un predominio de la anarquía rural
(el campo entra en la ciudad — como dije — o la ciudad sale al
campo). En este caso, no procede hablar de ciudad-jardín sino,
más propiamente de ciudad-bosque. En este punto es curioso
advertir que si las vallas no existen en los jardines, en las pequeñas
30 propiedades urbanas, rara vez faltan en el campo. Al hablar de
las campiñas sudamericanas* indiqué, en su día, que la Argentina
era un país que había puesto puertas al campo. Bueno, pues los

---

* **al hablar de las campiñas sudamericanas** Delibes se refiere a un libro suyo
titulado *Por esos mundos*, publicado en 1961 después de su giro por las Américas.

Estados Unidos han hecho lo propio.[21] Cercados inmensos para extensiones inmensas. Claro que las razones son análogas en ambos casos: el ganado que pasta pacíficamente en las praderas invadiría carreteras y vías de ferrocarril sin esta precaución.

5 (Nota importante: las cercas primorosamente pintadas de blanco denotan en USA al ganadero de afición,[22] o sea, al hombre que gana dinero en otro lado para gastarlo en vacas; las cercas de palos deslucidos, desteñidos, carcomidos, denotan al ganadero de profesión, o sea, al hombre que gana dinero con las vacas para 10 gastarlo en otro lado. Se trata de una sutil diferencia que en un noventa por ciento de los casos responde a una realidad concreta.)

Todo este golpe[23] de viviendas unifamiliares, con su pequeño jardín, ya da pie[24] para imaginar no sólo que la ciudad típicamente americana se asemeja muy poco a Nueva York, sino que la típica 15 ciudad americana es, por sí, tan larga, de un perímetro tan desmesurado, como corta de talla. Ciudades de quince, veinte, veinticinco mil habitantes, ocupan mayor extensión que una nuestra de cien mil o de ciento cincuenta mil. Y, por sabido,[25] son ciudades de casas de planta y piso,* apiñadas — o, mejor, congregadas — 20 en torno a concentraciones de tiendas o almacenes donde pueden realizarse todas las compras y adquisiciones que uno apetezca, desde el tabaco y la carne hasta una lavadora o un televisor. Y como, por otro lado, las ciudades americanas se alzan en el llano — la mayor parte del país — aquí el terreno no se llora, se 25 toma el que se precisa y nada más. En cuanto a[26] las distancias tampoco asustan porque ya es sabido que el norteamericano gasta neumáticos en lugar de medias suelas.

MODISMOS

1. **a través de**   across, through
2. **en derredor**   round about

* **casa de planta y piso**   una casa de dos pisos en USA pero de un piso en España, puesto que no se calcula la planta baja.

3. **desvitaminizada**   reduced in strength *or* impact
4. **por excelencia**   par excellence
5. **de momento**   for the moment
6. **pues bien**   well then
7. **en rigor**   as a matter of fact
8. **cree bien**   he believes it firmly
9. **de aquí que**   from here on
10. **a lo largo de**   in the course of
11. **a este tenor**   like this
12. **de nuevo**   again
13. **a varias aguas**   at various slopes
14. **le entra por los ojos**   is evident to him
15. **bien entendido que**   of course, with the understanding that
16. **al pronto**   right off
17. **de cuando en cuando**   from time to time
18. **rara, rarísima vez se da**   is very, very rarely found
19. **es más**   moreover
20. **a no ser por la delación de las máquinas**   if it were not for the telltale signs given by the machines
21. **los Estados Unidos han hecho lo propio**   the United States has done the same thing
22. **de afición**   amateur
23. **todo este golpe**   all this abundance, all this mass
24. **da pie**   gives cause
25. **por sabido**   certainly
26. **en cuanto a**   as for

EJERCICIOS

I. *Contestar:*

1. ¿Qué concepto de América tiene el europeo a través de la pantalla?
2. ¿Cómo imagina el europeo un apartamento americano?

3. ¿Dónde vive un sesenta o un setenta por ciento del pueblo americano?

4. ¿En qué piensan los matrimonios americanos al buscar un piso?

5. Enumerar las cuatro pautas de un ciclo típico durante la vida de un norteamericano.

6. Describir la ciudad y el campo representativos de los Estados Unidos.

7. ¿Cómo vio Delibes el Este del país?

8. ¿Cómo son la mayoría de las casas americanas?

9. ¿Cuáles son las dos cosas que no le faltan a la casa unifamiliar? Describir los porches. ¿Qué prestan a las casas?

10. ¿Cómo describió el autor el césped norteamericano? ¿Cómo es el césped en los bordes de carreteras?

11. ¿Qué hacen las familias los viernes y los sábados por la tarde?

12. ¿Cómo cuenta el césped en el comercio americano?

13. ¿Cómo rinde la hierba un servicio utilitario?

14. ¿Por qué dijo Delibes que USA es "un continente sin polvo"?

15. ¿Cómo están diseminadas las casas en las ciudades americanas? ¿Qué se levantan entre ellas?

16. ¿Sabe Vd. por qué Delibes se quedó impresionado con las casas americanas que no se amurallan ni vallan?

17. ¿Dónde existen generalmente las cercas o las vallas en los Estados Unidos? ¿Por qué?

18. ¿Cómo se distinguen los ganaderos de afición y los de profesión?

19. ¿Qué significa *casa de planta y piso* en USA y en España?

20. ¿En torno a qué se congregan casas de planta y piso? ¿Qué se puede comprar en estas concentraciones?

21. ¿Por qué no asustan las distancias al norteamericano?

II. *Escribir en español:*

Chicago and New York are cities well-known in Spain. Every Spaniard who has not visited the United States believes that all

Americans live in small apartments like those seen in the movies. He does not know that large and small cities have many one-family houses surrounded by a lawn that costs the Americans many hours of sweat. The families cut the very fine grass with a little tractor or mower; they sprinkle it, they resow spots, they rake leaves, and they care for flower beds which border the pavement of the sidewalks. Elms, weeping willows, and maples rise between houses without one's knowing exactly to which house they belong. The houses seem to be scattered in a woods.

Not only the lawns but the porches with rockers give special character to these houses. Some porches are closed and others are open; some are small and others are large, but all generally give a view of the gardens with flower beds.

The Spaniard does not have to take care of grass, or buy sacks with special dirt, or tint his grass in the winter as some Americans do. Only a few Spaniards live in one-family dwellings; their gardeners work in the flower beds, cut the grass, etc.

VI

WASHINGTON, D.C.

Es muy posible que Washington, la capital federal de los Estados
Unidos, sea, en buena medida, un producto de su clima. El clima
de Washington no es bueno ni malo; es arbitrario y cambiante
como el vuelo de una mariposa. Así y todo, a Washington no le
5 falta, ni en invierno, ni en verano, un alto grado de humedad y
unas lluvias periódicas torrenciales que recuerdan, en su pertinacia
abrumadora, el súbito llanto del cielo del trópico. A un día
esplendente, de cielo enrasado y azul, sucede otro día plomizo,
de cielo bajo, que vomita agua sin cesar. Por añadidura,[1] Washing-
10 ton — en general, porque, repito, la característica de su clima es
la veleidad — es bochornoso y húmedo en verano y helador en
invierno. Esta condición, junto a su escasa altitud, produce en el
forastero, habituado a vivir en una meseta, un cierto enervamiento
y una propensión a la transpiración en cuanto mueve un dedo.
15 Por otro lado, la volubilidad de su clima no le da a la ciudad
buena fama, siquiera la constante posibilidad de un cambio inmediato le hace a uno más llevaderas las horas de lluvia, de bochorno o de hielo. En América se dice ingeniosamente: "Si a usted
no le gusta el clima de Washington, no se preocupe; dentro de
20 veinte minutos va a cambiar." O sea, el que no se consuela es
porque no quiere.

Pero esta humedad incesante y estas lluvias dispendiosas han hecho de Washington una ciudad vegetal, es decir, con más hojas que ladrillos y más árboles que casas. Ésta, nos guste o no,[2] es la impresión inicial que Washington depara al forastero. Así, cuando
5 uno arriba a la ciudad en automóvil, busca afanosamente el cogollo urbano, la concentración de piedras o ladrillos o madera, el corazón de la gran urbe. Pero no es fácil dar con él.[3] Washington es la ciudad que siempre se busca pero nunca acaba de encontrarse.[4] Uno discurre por sus avenidas — espléndidas avenidas —
10 flanqueadas por casas de tablas con sus jardines en torno y cuando descubre en la distancia unos bloques de viviendas u oficinas de ocho o diez pisos, piensa que, al fin, ha dado con el centro de la ciudad, o, mejor, con la ciudad propiamente dicha.[5] Pero, de pronto, los bloques se van espaciando, la concentración mineral
15 se disipa, torna la fronda, y el viajero, de nuevo, se dispone a esperar. Mas, el viajero que tal haga, hará muy mal,[6] porque esa sucesión de casas y bosque, de minerales y vegetales, es precisamente la nota distintiva de Washington, D.C. Washington no es edificación continua, sino intermitente y, urbanísticamente, no
20 tiene un solo corazón sino muchos pequeños corazones. Y en esta ciudad como en la casi totalidad de las ciudades americanas, el mayor porcentaje de vecinos vive en barrios residenciales. En puridad, y una vez aceptado esto, Washington es, por una parte, una ciudad en la que uno está sin advertir que está en una ciudad
25 y, por otra, una ciudad que nunca se termina. Esto sugiere ya que la urbanización va en paquetes, nunca excesivamente concentrados. De ordinario, lo vegetal puede más que lo construido.*
Esto equivale a decir, que Washington es la ciudad antihacinada por excelencia; el reverso de la medalla de Nueva York. (Y hasta
30 tal extremo prevalece lo vegetal en Washington que el parque Rock Creek, englobado en la urbe, tiene una extensión de siete u ocho kilómetros cuadrados. Lógicamente se trata de un bosque natural, densísimo, en cuyo seno, el viajero se siente perdido, a

---

* **lo vegetal puede más que lo construido** Los árboles y las hojas contribuyen más a la belleza de la capital que la parte construida por los hombres.

muchos kilómetros de la civilización.) Washington es, pues, la
ciudad horizontal, la ciudad a lo ancho,[7] la ciudad madre — por
la semejanza — de las pequeñas ciudades americanas a las que
anteriormente me he referido. Washington no aspira a agarrar el
5 cielo con la mano, lo que no significa que la ciudad carezca de
edificios importantes, sino simplemente que al construirlos coloca
un piso al lado del otro en lugar de amontonarlos. En una palabra, Washington edifica "rascasuelos", esto es, rascacielos acos-
tados, yacentes. De esta manera, lo que no va en lágrimas va en
10 suspiros; lo que se pierde de altura lo gana en extensión. (Todo esto
no obedece al capricho de la municipalidad, sino a una vieja
norma que prohibe erigir edificios que sobrepasen la talla del
Capitolio. O sea, la capitalidad política del país ha de hacerse
patente. La cabeza — el Capitolio — debe permanecer siempre
15 por encima de los miembros. La disposición, ni aun como símbolo,
me parece desatinada.)

Es obvio, que esta estructuración ha traído como consecuencia
una fenomenal dispersión de la ciudad. El cuadro neutral de 30
millas de lado,[8] entre los Estados de Maryland y Virginia, sobre
20 el que el arquitecto francés Pierre L'Enfant echó los cimientos de
la capital, ha sido hoy rebasado de largo. El área metropolitana
de Washington penetra ampliamente en aquellos Estados, de
forma que en la capital estadounidense existen dos fronteras, tras
de las cuales — pese a tratarse de una ciudad sin solución de
25 continuidad — rigen distintas normas — fiscales, administrativas,
etc. — que en el primitivo cuadro sobre el que se edificó la capital.[9]
Y, como, por otra parte, los barrios residenciales se asemejan
tanto unos a otros, nada puede extrañarnos que los automovilistas
circulen por las calles plano en mano en cuanto tienen que salirse
30 de su itinerario habitual. (Un hecho comprobado personalmente:
ocho de cada diez personas que se han ofrecido a trasladarme a
casa en automóvil — algunos nacidos aquí y la mayor parte con
más de diez años de residencia — se han extraviado en el dédalo
de paseos y avenidas, pese a haber consultado minuciosamente el
35 plano de la ciudad antes de lanzarse a la aventura.)

Monsieur L'Enfant que, como dije, planeó esta ciudad, acertó a infundirla un remoto aire parisino. Monsieur L'Enfant hizo confluir las más grandes avenidas de la ciudad en el centro político y monumental de la urbe. Parece ser que Monsieur L'Enfant
5 quería facilitar el camino un día no sólo a los revolucionarios, sino al pueblo que quisiera ser testigo de la revolución. Pero, afortunadamente para ellos, esta ventaja aún no la han aprovechado los washingtonianos. Eso sí, la zona monumental, ligada al centro político, es la más despejada de la ciudad, de forma que,
10 en los aledaños de los monumentos a Lincoln, Washington y Jefferson, donde se alzan también la Casa Blanca, el Capitolio y la Corte Suprema, pueden acomodarse fácilmente todos los habitantes de la ciudad. Es, pues, ésta una suculenta y dilatada zona verde sobre la que resaltan la blancura de monumentos y
15 edificios. (La Casa Blanca, de otro lado, en contra de lo que pudiera pensarse,[10] no es una construcción de nuevo rico, despampanante, sino un edificio discreto donde a uno le cuesta admitir que, en buena medida, sea el horno donde se cuece el destino del mundo.[11] Asimismo discretos son los monumentos aludidos, de
20 un neoclásico no disfrazado, airosos y gallardos. La perspectiva de esta zona, posible desde diversas atalayas, es, sin embargo, muy hermosa; responde a una euritmia infrecuente, cuya belleza antes que en el detalle concreto reside en el conjunto,[12] al que las aguas del río Potomac y las fuentes y estanques de los alrededores
25 prestan una recoleta apacibilidad versallesca.)

El contraste con la zona blanca de Washington lo ofrece la zona negra, aunque ésta no afecte a la arquitectura, sino a la población. En la ciudad de Washington, como es sabido, se da un contingente de gente de color que sobrepasa seguramente el
30 cincuenta por ciento. Es decir, en Washington hay más hombres negros que blancos. Este fenómeno — raro, supuesto que el conjunto de población negra en Estados Unidos, es de dieciocho o veinte millones, más o menos el diez por ciento de la población total — imprime a la ciudad un especial carácter. Los negros se
35 concentran de tal manera que hay en Washington extensos sec-

tores — las calles 7 y 13, por ejemplo —, donde es prácticamente imposible ver un blanco. Otro tanto sucede en los autobuses, lo que quiere decir que, por regla general, el negro — pese a hallar aquí muchas más facilidades que en otras partes — pertenece a la
5 capa más desheredada de la sociedad yanqui. (Este tema, en líneas más generales, no sólo washingtonianas, habrá que tocarle más adelante.) De momento, y con las zonas urbanas aludidas, podemos decir que hay iglesias estrictamente negras, bares y cabarets donde el blanco constituye un elemento detonante. Por
10 otra parte, los negros mejor situados del país — con sus automóviles lustrosos y sus casas confortables — se ven también en la capital, donde el criterio segregacionista está muy atenuado. Esto es, en Washington, D.C., capital de los Estados Unidos, se hace más palpable que en otras partes el sentido democrático no ya de
15 su política, sino de su sociedad. (En el barrio residencial donde habito, las casas más próximas a la nuestra, pertenecen a un taxista, un físico matemático, una viuda sola, un profesor, una bailarina y dos negros funcionarios del Gobierno. Es decir, ni la raza, ni la profesión constituyen barreras infranqueables, aunque
20 no desconozca que existen muchas zonas en la ciudad donde el criterio clasista inspira todavía la asociación.)
Sobre Washington influye notablemente su condición de capital política. En último extremo fue hecha para eso. De aquí que ni en la ciudad ni en sus aledaños se advierta ese ritmo agobiante que
25 distingue a las ciudades fabriles. En Washington no existen industrias y tal cosa trasciende a la calle. La capital — dadas su extensión, la penetración vegetal y la ausencia de manufacturas — da una impresión de sosiego, de serenidad y reposo. Los automóviles circulan silenciosamente, a velocidades moderadas, sin las difi-
30 cultades que en Nueva York existen — donde es preferible prescindir del coche — para aparcar. Este ritmo hace de Washington una urbe acolchada y grata, donde uno puede todavía trabajar y descansar en silencio (las noches washingtonianas, resultan tan quedas, tan sosegadas — hablo de los barrios residenciales, la
35 gran mayoría como dije — como puedan serlo las noches en cual-

quier pequeña capital española. Únicamente, de vez en cuando, el zumbido lejano de un avión o la sirena de un coche de urgencia nos recuerdan donde estamos).

A este ambiente de serenidad coadyuvan las ardillas, que si
5 diseminadas por todo el país — por la gran parte del país, al menos, que he recorrido — son especialmente abundantes en Washington. Y no ya en la vasta zona de Rock Creek o en los céspedes del centro monumental, sino en cualquier parte donde haya un árbol. Estos animalitos, tan vivaces como sigilosos, mero-
10 dean por los jardines, trepan a los árboles, cruzan las calzadas, y en las zonas más céntricas — como las praderas frente a la Casa Blanca — se acercan para tomar de nuestra mano una nuez o un cacahuete. Sus posturas, sus caritas inteligentes, sus huídas súbitas, las oscilaciones bruscas de sus rabos nos hacen pensar en
15 una película de Walt Disney, y en todo caso, proporcionan al paseante una segura distracción. Las ardillas de Washington, creo, no pueden darse de lado[13] al tratar de esbozar un apunte de esta ciudad; un ideal de ciudad, para mi gusto, si las distancias no fuesen tan disparatadas y sus avenidas tan endiabladamente
20 semejantes que hasta al nativo le cuesta identificarlas en pleno día.[14]

MODISMOS

1. **por añadidura**   in addition
2. **nos guste o no**   whether it pleases us or not
3. **dar con él**   to find it, to run into it
4. **nunca acaba de encontrarse**   never succeeds in being found
5. **la ciudad propiamente dicha**   the so-called city proper
6. **que tal haga, hará muy mal**   who may do exactly that will be very mistaken
7. **a lo ancho**   in width
8. **de lado**   square
9. **que en el primitivo cuadro sobre el que se edificó la capital**   as

in the original square upon which the capital was built
10. **en contra de lo que pudiera pensarse** contrary to what one might think
11. **sea el horno donde se cuece el destino del mundo** here in this modest White House are formulated great plans which determine the world's destiny
12. **cuya belleza antes que en el detalle concreto reside en el conjunto** whose beauty rests first in the total effect rather than in the concrete detail
13. **darse de lado** to be cast aside
14. **hasta al nativo le cuesta identificarlas en pleno día** it is even difficult for the native to identify them in broad daylight

EJERCICIOS

I. *Contestar:*

1. Describir el clima de Washington. ¿Cuál es la característica predominante de este clima?
2. Citar las calidades vegetales de Washington.
3. Al arribar a Washington en auto, ¿qué busca primero el forastero?
4. ¿Por qué no es fácil dar con la capital?
5. ¿Qué es la nota distintiva de Washington?
6. ¿Qué significa la palabra "rascasuelo"? ¿Por qué se refiere a Washington como una ciudad horizontal? ¿Qué vieja norma dio origen a tal plan horizontal?
7. ¿Quién planeó la capital? ¿Dónde penetra el área metropolitana de Washington?
8. Al salirse de su itinerario habitual, ¿qué necesitan los automovilistas?
9. ¿Cómo le impresionó a Delibes la Casa Blanca?
10. ¿Qué presta a Washington una apacibilidad versallesca?
11. En cuanto a la población de Washington, ¿qué fenómeno raro existe?

12. Según el autor, ¿quién pertenece a la capa más desheredada de la sociedad americana? De otro lado, ¿dónde se encuentran los negros mejor situados del país?

13. ¿Quiénes vivieron en el barrio residencial de Delibes?

14. ¿A qué se asemejan los barrios residenciales de Washington durante las noches? ¿En qué sentido?

15. ¿Por qué se maravilló Delibes al ver las ardillas en Washington? ¿Cómo las describió?

II. *Describir una visita que Vd. hizo a Washington o a la capital de su estado natal o adoptivo o de cualquier otro país.*

III. *Escribir en español:*

The capital Washington is infused with a remote Parisian air. The wide avenues join in the political and monumental center of the city. The White House, the Capitol and the Supreme Court, the various historical monuments occupy a zone that can easily accommodate all the city's inhabitants since the majority live in suburbs. It is an unobstructed part of the city where one may see with perspective and admire the beauty of fountains, artificial lakes, and the waters of the Potomac River. The serenity and repose here as well as the neoclassic style of the monuments remind one of Versailles. The total picture is beautiful.

It is not easy to find the heart of this capital because it has many hearts. As one drives through the streets, one sees a succession of trees, woods, houses, then blocks of office buildings eight or ten stories high. The city is horizontal rather than vertical.

As for the climate, it changes constantly. It is hot and humid in the summer and freezing in the winter. Even daily, the climate changes so frequently that if it does not please at the moment, it will please twenty minutes later. For some foreign residents who work in Washington in embassies, the sultry summers with their torrential rains will give pleasure, but they will find the winters cold and damp with leaden, gray skies. For others, winters there will not seem freezing cold.

Squirrels in Washington are abundant. One sees them in the parks, on the lawns around monuments, in gardens near sidewalks. They climb trees, cross streets, live in the many hearts of the city. These vivacious little animals will take peanuts from a human hand. Their quick movements, their waving tails, their intelligent little faces make one think of a Walt Disney movie.

VII
LA INTIMIDAD ACORAZADA

Apuntaba páginas atrás que el trato asiduo con la máquina había
venido a enfriar al americano. Esto puede interpretarse en el
sentido de que éste, antes que un pueblo solidario, es un pueblo
educado; un país con un alto concepto del civismo. Para ser
5 aquello — solidario — le falta, a mi ver, la calidez cordial, la
efusividad, que caracteriza, por ejemplo, a los pueblos mediterráneos. (Sería, ciertamente, esclarecedor, analizar hasta qué punto
la confortabilidad y la abundancia, abotagan los sentimientos y
endurecen el corazón. Ante ciertas escenas que USA brinda se me
10 ocurre pensar que el hecho de tener las cosas antes de desearlas,
de no necesitar apenas esfuerzo para obtener lo indispensable,
no es, sin duda, el mejor camino para valorar estas cosas e, incluso,
la vida y las circunstancias que la rodean.)
    En líneas generales puede afirmarse que el norteamericano es
15 maestro en eso que para tantos otros pueblos resulta tan difícil:
organizar la comunidad; montar unas instituciones fuertes, y
respetarlas y hacerlas respetar. Mas luego, el americano, como
individuo, no está trascendido de una sensibilidad comunitaria,
ni le impulsan los móviles afectivos. Esto es, la vida del país está
20 perfectamente organizada — política, administración, enseñanza,

etcétera —, pero dentro de una inhibición sentimental, de una
mínima comunicación; dentro de un orden social, en resumen,[1]
donde el mutuo respeto se ha llevado hasta el extremo de interponer entre hombre y hombre, entre familia y familia, entre casa
5 y casa, una zona fría, gélida más bien, que actúa a la manera de
una cinta aisladora.

Pero sería injusto que uno negara al americano unas virtudes
cívicas y humanas que engrasan la convivencia. La amabilidad
americana fue una de las cosas que más gratamente impresionaron
10 al viajero apenas puso pie en Nueva York. Es más, durante los
meses que el viajero se ha movido por el país, muy contadas veces
tropezó con una mala cara o un ademán de impaciencia pese a que
sus instrumentos de expresión, sus recursos idiomáticos, son,
como es sabido, harto limitados. (A este respecto, el viajero cuenta
15 con una anécdota ilustrativa. Perdido una mañana en el bosque de
Rock Creek, en Washington, fue recogido espontáneamente por
un automovilista que le sorprendió consultando el plano de la
ciudad al borde de la calzada. Dicho automovilista depositó al
viajero ante una cabina telefónica para comunicar con un taxi.
20 Mas como los saberes lingüísticos del viajero no daban para tanto,[2]
hubo de recurrir a una muchachita para que lo hiciera por
él y, más tarde, en vista de que el taxi se demoraba, a otra muchachita, para terminar abordando a un hombre joven que se dis-
ponía a tomar su automóvil y que, sin la menor vacilación, le
25 condujo a su casa porque "él no hablaba francés pero su mujer
"yes". Ya en el apartamento del matrimonio, la señora del automovilista confesó, como Dios la dio a entender, que el poco francés
que aprendió en la escuela lo había olvidado pero que llamaría a
un taxi y, si éste fallaba, ella misma nos conduciría hasta nuestro
30 destino. Finalmente el taxi llegó y el viajero, aunque tarde, pudo
salir del apuro. Como se ve, la cadena de amabilidades no se
quebró. El viajero rodó de mano en mano, como "la falsa monea"*
de la copla, y no fue abandonado mientras no tuvo su problema

---

* "la falsa monea" letras de una copla flamenca o gitana bien conocida en
España (monea = moneda).

resuelto. Creo sinceramente que en la apresurada Europa de nuestros días, habrá muy pocos países — y si no señalo, no es, en este caso, por buena educación sino por modestia — donde se pueda registrar un caso semejante. Quede esto bien claro.)

5   Pero la gentileza y la corrección son una cosa y otra distinta la efusividad, la sociabilidad. El norteamericano, lo repito una vez más, ha organizado la comunidad magistralmente, con las máximas garantías, pero "él" se ha quedado al margen. Políticamente vive en sociedad; humanamente, no. Yo diría que cada americano,
10 cada familia americana, vive en una isla; cada casa es una pequeña "gran-bretaña" y el césped que la rodea un mar. (Toda la teoría del espléndido aislamiento anglosajón tiene su aplicación, a escala reducida, en la sociedad americana.) Y este mar únicamente lo salvan sin reservas[3] los niños chicos. Los adultos se recluyen
15 en su concha y salga el sol por donde quiera.* A los vecinos, si casualmente les encuentra al entrar o salir de casa, un sombrerazo[4] o una sonrisa; poco más. Esto tiene una cara positiva: al americano le falta curiosidad para entrometerse en las vidas ajenas y, en consecuencia, el menudo y mezquino cotilleo de vecindad
20 carece de sentido para él. Lo que hagan o dejen de hacer los demás le tiene sin cuidado.[5] El "vive como quieras" encuentra en este pueblo una aplicación estricta. ¿Que usted quiere[6] salir a la calle con frac y botas de montar? Pues bien, puede usted hacerlo, en la seguridad de que nadie se va a asombrar por ello, a no ser que
25 usted se haya recluido voluntariamente en un barrio donde impere el concepto de castas, en cuyo caso, usted será, como en Europa, un esclavo de la moda y de los convencionalismos sociales. Al mismo tiempo, esta actitud muestra un reverso poco halagüeno:[7] este desinterés por lo ajeno constituye, en el fondo, una manifes-
30 tacion de indiferencia y, rascando un poco más, una postura egoísta. ("A mí no me venga usted con problemas, que bastante tengo ya con los míos.")

Sin duda, este desdén por lo que directamente no nos atañe,

---

* salga el sol por donde quiera   no les importa lo que ocurra.

esta deliberada incomunicación, resulta más ostensible para los españoles, acostumbrados como estamos a entablar diálogo con el primero que se nos pone a tiro,[8] bien en el bar, bien en la calle, bien en la barbería. Pero esta avidez coloquial, tan perentoria para
5 el español como para el italiano, no se conoce en USA. Considerada así, la vida del norteamericano es la vuelta de la medalla[9] de la vida de un andaluz o de la de un italiano de Nápoles; el andaluz y el napolitano viven de cara a la galería; el americano de espaldas a ella.[10] Y aunque aspirara un día a dar la cara a la galería no
10 podría hacerlo ya porque aquí la galería no existe, la curiosidad se ha esfumado, no hay interlocutor libre ni espectador posible. Esto explica el sentimiento de soledad que invadió a la mujer de un amigo mío, mujer nada frívola por cierto, a su llegada a Chicago. Esta mujer se sentía sola no ya en su casa, sino en la calle, en
15 la oficina y en todas partes. "Es que ni te miran — me decía —. Vas por la calle y tienes la angustiosa sensación de que eres un fantasma, de que ves, pero no te ven, de que no existes." Hasta que un buen día, esta señora descubrió que, rodeando un poco para ir a su trabajo, había de pasar ante el establecimiento de un italiano
20 que, tan pronto asomaba ella por la vitrina, salía apresuradamente a contemplarla y a decirle una y otra vez "bella ragazza"[11] con mediterráneo entusiasmo hasta perderla de vista. "Aquel hombre nunca sabrá el bien que me hizo — añadía mi amiga, hoy perfectamente adaptada a la vida yanqui. Me devolvió la con-
25 fianza en mí misma y la seguridad de que continuaba en el mundo."

Y esta indiferencia es tan cierta que cuando uno, con su inquisitiva curiosidad latina, se pone a escrutar los rostros de las personas con quienes se cruza[12] en la calle — en las calles donde
30 hay personas, se sobrentiende — más de la mitad le saludarán con una discreta inclinación de cabeza y una sonrisa, hasta tal punto están habituados a ser ignorados. Esta sonrisa parece demostrar no sólo que el americano es amable y correcto — a los prepotentes y bravucones, América parece reservarles para la exportación
35 sino que su reserva no es muy cerrada[13] — paga, simplemente,

con reserva la reserva de los demás — y que está dispuesto a abrir
la guardia en cuanto otro le dé pie para ello.[14]

Bien, la tendencia al espléndido aislamiento del americano ya
está anotada, pero, ¿pueden saberse, ahora, las razones a que
5 responde tal disposición? Se trata, incontestablemente, de un
enrevesado y abrupto problema más propio de un doctor[15] en
sociología o sicología que de un periodista. Así y todo uno no es
de los que escurren el bulto y, por ello, tratará de dar su explicación.[16]

10   En primer término[17] está, para mí, la máquina; no la máquina
en abstracto, sino concretamente, como ya dije, el automóvil.
El coche aguarda al americano a la puerta de su casa de tal
manera que, en este régimen de vida, no cabe el encuentro casual
y esporádico tan frecuente entre nosotros, los subdesarrollados.
15 ("¿Vas al centro? ¡Magnífico! Podemos ir juntos hasta la plaza, si
te parece. Ya hacía tiempo que no nos veíamos, ¿eh? ¿Qué tal
los chicos?[18] ¿Y tu mujer?", etc., etc., etc.)

En segundo lugar tenemos la vivienda unifamiliar. La casita
con su jardín, sus árboles, y sus ardillas constituye, sin disputa,
20 el ideal de vida civilizada. Ahora bien, cuando el pueblo que
adopta el sistema no se distingue precisamente por su locuacidad,
por su propensión a exteriorizarse, el sistema puede ser arriesgado;
quiero decir que, al faltar esas cajas de contacto fugaz que son los
ascensores, o esa oportunidad de compartir un esfuerzo que son
25 las escaleras, pueden acentuarse el retraimiento y la misantropía.

Un nuevo factor que favorece el aislamiento es la carencia de
ordenanzas en la vida americana, o quizá, mejor que ordenanzas,
sería decir servidores. En los Estados Unidos no sólo no hay
criados — o hay poquísimos —, sino que faltan también los
30 "botones", los cobradores y los chicos de la tienda.* Esto pre-

---

* chicos de la tienda   En España mozos de diez hasta diez y seis o diez y
ocho años sirven a menudo de aprendices en tiendas de ultramarinos, etc.,
donde trabajan muy duro barriendo, fregando, vigilando a los clientes. Después de servir así durante su juventud, es posible que algunos enérgicos
lleguen a ser dependientes y con mucha suerte dueños de sus propios establecimientos.

supone que aquí una deuda no da derecho a un interlocutor, aunque sea para regañar con él. Para pagar está el Banco.* (Por regla general, el americano vive sin dinero, a base de cheques.) En lo que atañe a los proveedores, la institución hace muchos
5 años que está desterrada de América. Aquí ni las funerarias sirven a domicilio; es el muerto el que debe "ir" a buscar su caja (pero ya habrá ocasión de hablar de esto, supongo). De momento cabe presumir que una casa donde no llaman los proveedores ni los acreedores, es una casa casi muerta. Si a esto
10 añadimos que la vecina no puede "bajar" a pedir prestada una cebolla o un cantero de jabón,† no parecerá exagerado decir que en una casa americana pueden transcurrir dos o tres semanas sin que suene el timbre de la puerta, o, lo que es lo mismo, que una casa americana donde no haya niños — éstos suplen todas las
15 ausencias — es una estancia silenciosa, inerte, como un barco varado sobre la hierba.

Otra razón más, y patente, de este aislamiento es que el americano y la americana — que también ellas suelen trabajar por cuenta ajena[19] — tienen un complemento de quehaceres do-
20 mésticos considerables. El yanqui trabaja mucho en casa. Y no es que prorrogue en ella su jornada de despacho o de oficina buscando un complemento para su sueldo, sino que equilibra su actividad profesional con una serie de quehaceres manuales no tanto por distraerse como por economía (es decir, no trata de
25 aumentar su sueldo sino de no despilfarrarlo). La mano de obra, ya quedó dicho, es un lujo muy caro en los Estados Unidos y por ello no es de extrañar que, con mayor o menor maña, el americano haga a menudo de carpintero, de fontanero, de electricista, de

* **aquí una deuda no da derecho a un interlocutor, aunque sea para regañar con él. Para pagar está el Banco.** Si alguien le sirve a uno en cualquier capacidad, el recipiente no tiene derecho de tratar mal al servidor, ni regañarle. Sólo está obligado a pagar el servicio rendido.

† **la vecina no puede "bajar" a pedir prestada una cebolla o un cantero de jabón** Una señora no puede ir al apartamento de una vecina para pedir prestados comestibles o artículos domésticos tan comúnmente usados como por ejemplo en España la cebolla y un cantero de jabón.

mecánico, de pintor y hasta de peluquero. (Es de notar que el americano llega, con frecuencia, al virtuosismo en estas labores de artesanía. Dije una vez que el yanqui era torpe con los pies, pero todo lo que en éstos hay de agarrotado, lo hay de habilidad
5 en sus manos.[20] En casa, donde el español se muestra como un perfecto manazas, el yanqui es un manitas. He aquí otra curiosa y reveladora diferencia.)

Pero, en última instancia, y por delante de todos los obstáculos enumerados que se oponen a la efusividad está la tendencia al
10 mutismo del estadounidense. Por las razones que sean — históricas, sociológicas, etc. —, el americano adolece de una timidez discreta o de una discreción tímida. El latino antes que permanecer en silencio es muy capaz de hablar consigo mismo y, por supuesto, para hallar un interlocutor no vacilará en ir donde
15 haga falta, o pegar la hebra con el lucero del alba.[21] No titubea en dar los pasos precisos para establecer una comunicación. He aquí el busilis de la cuestión: dar el paso. En este punto aparece la timidez discreta o la discreción tímida del yanqui. Ante la posibilidad de molestar "si va" o de que le molesten "si vienen",
20 prefiere cortar por lo sano, abstenerse y dar cerrojazo.[22]

Afinando, el norteamericano sabe que tiene en común con su vecino una serie de valores políticos y sociales — libertad, eficacia, orden, oportunidades para la mayoría, tolerancia, etc. —. Pero fuera de esto nunca sabe lo que puede encontrar en él. De ahí que
25 se tiente la ropa[23] antes de dar un paso por el camino de la amistad.

MODISMOS

1. **en resumen**   in a word
2. **no daban para tanto**   didn't extend so far
3. **sin reservas**   without reservations
4. **un sombrerazo**   a hurried doffing of the hat
5. **Lo que hagan o dejen de hacer los demás le tiene sin cui-**

dado. What others may do or cease doing leaves him indifferent.

6. **que usted quiere** so you want to
7. **poco halagüeño** not very attractive
8. **que se nos pone a tiro** who puts himself within our reach
9. **la vuelta de la medalla** the other side of the coin, the reverse
10. **viven de cara a la galería; el americano de espaldas a ella** live facing the public eye; the American lives with his back to it
11. **"bella ragazza"** *Italian* beautiful girl
12. **con quienes se cruza** whom one meets
13. **su reserva no es muy cerrada** his reserve is not very sealed off
14. **en cuanto otro le dé pie para ello** as soon as one gives him a chance to do it
15. **más propio de un doctor** more appropriate to ask of a doctor
16. **Así y todo uno no es de los que escurren el bulto y, por ello, tratará de dar su explicación.** Anyhow I am not one of those who dodge the issue and, because I don't, I shall try to give an explanation.
17. **en primer término** in the first place
18. **¿Qué tal los chicos?** How are the youngsters?
19. **por cuenta ajena** independently, "on their own"
20. **pero todo lo que en éstos hay de agarrotado, lo hay de habilidad en sus manos** but what there is of stiffness or awkwardness in these (the feet) is compensated for by manual dexterity, *or* manual dexterity compensates for awkwardness in the feet
21. **pegar la hebra con el lucero del alba** the Spaniard doesn't hesitate to do the impossible in order to communicate with someone (*literally*, to fasten the thread [of communication] to the morning star)
22. **prefiere cortar por lo sano, abstenerse y dar cerrojazo** he prefers to use desperate remedies, to abstain, and to shut off tightly all communication
23. **de ahí que se tiente la ropa** with the result that he tests out the person

EJERCICIOS

I. *Contestar:*

1. ¿Que caracteriza a los pueblos mediterráneos?
2. ¿A qué atribuye Delibes el endurecimiento del corazón americano?
3. ¿En qué es maestro el pueblo norteamericano? ¿Qué no posee el individuo americano en un sentido trascendido?
4. ¿Cómo está organizada la vida del país? Dentro del orden social, ¿qué se ha llevado?
5. Contar la anécdota que sirvió al autor para explicar la amabilidad americana. En cuanto a este apuro suyo, ¿qué le impresionó? ¿Por qué se refirió él a unas letras de una copla flamenca?
6. ¿Por qué dice Delibes que el norteamericano vive al margen de su sociedad?
7. ¿A qué se parecen cada casa americana y cada césped?
8. ¿Cómo se saludan generalmente los vecinos en los barrios residenciales?
9. ¿Para qué le falta curiosidad al americano?
10. Si sale uno a la calle con frac y botas de montar en USA, ¿qué efecto tendrá sobre los demás? Según Delibes, ¿cómo reaccionaría el público europeo a tal espectáculo?
11. ¿Qué constituye en el fondo el desinterés por lo ajeno? ¿Por qué resulta más ostensible esta deliberada incomunicación al español?
12. ¿Cómo se difieren el andaluz y el americano?
13. ¿Qué ocurrió a una mujer latina en Chicago? ¿Cómo resultó que el italiano le devolvió la confianza en sí misma?
14. Al pasearse por las calles, ¿qué observó el autor cuando se puso a escrutar los rostros de los peatones?
15. Enumerar las causas del aislamiento del americano. ¿Qué opina Vd. sobre estas causas?
16. ¿Qué constituye el ideal de la vida civilizada? ¿Cúando puede ser arriesgado este sistema ideal?

17. ¿Quiénes son los servidores que faltan en USA?
18. ¿Por qué no puede pedir prestada cualquier cosa una vecina?
19. ¿Cómo sucede que no suena a menudo el timbre de la puerta en una casa americana?
20. ¿Por qué hace el americano muchos quehaceres manuales en casa? ¿Qué labores de artesanía ejecuta él en casa?
21. ¿Cómo explicó Delibes el mutismo del estadounidense?

II. *Si Vd. ha conocido a unos residentes extranjeros en USA, discuta Vd. los problemas que ellos encararon. Al revés de la medalla, si Vd. ha vivido o viajado en otro país, enumere Vd. los problemas con que Vd. tropezó en la vida diaria, es decir, respecto a la comunicación, costumbres sociales, etc.*

III. *Escribir en español:*

One day while Mr. Delibes was consulting the city plan at the edge of a street in Rock Creek Park, something pleasant happened which showed him American amiability and courtesy, without the effusiveness, the cordial warmth characterizing Mediterranean peoples. He was lost and many people helped him to return home. He noticed that even the automobile drivers needed a city plan in their hands, although they were residents of Washington.

American life is so well-organized, he thought, that it requires only a minimum of communication, but the mutism increases distances between individuals, families, neighborhoods. Moreover, he learned that Americans are more effusive with visitors like himself than they frequently are with each other. If he smiled at a pedestrian during a stroll along a street, the pedestrian also smiled. The pedestrian was surprised that someone noticed him.

Generally Americans live in a splendid isolation because of the automobile, the one-family dwelling, and the custom of paying bills by check. Too, they work on their own at home; they balance their professional activities with a series of domestic duties. Few have servants; so it is not surprising to see a father at home doing the work of a carpenter or a plumber, an electrician, or a mechanic.

VIII

LA EMANCIPACIÓN

Hemos quedado en que[1] una vez que el forastero da el primer paso,
toma la iniciativa, el americano se entrega. No hay, pues, razón
aparente, para que con un compatriota el yanqui se comporte de
otra manera. Y, sin embargo, se comporta. La reserva del ameri-
5 cano respecto del[2] americano no desaparece así como así;[3] existe en
él, como ya apuntamos, el recelo de estorbar hoy y el temor de que
le estorben mañana. No obstante, cuando se trata de un extranjero,
exento de aquel recelo y de este temor, el estadounidense se da del
todo[4] y en unos términos que no admiten parangón. (Me resultaría
10 enojoso consignar nombres en estas cuartillas. No obstante, sí
puedo decir que un matrimonio de Massachusetts nos ha recibido
en su casa dos días inmediatamente después de regresar la mujer
del hospital, tras sufrir una grave operación quirúrgica. Y esta
señora, no sólo no ha dicho nada, ni ha vendido el favor de su
15 circunstancia,[5] sino que durante tres días nos ha dedicado su
casa — y su actividad — por entero: comidas, reuniones, coctails,
etc. Por otro lado, en Washington he conocido a una señora que
sin ninguna obligación por su parte — pese a ser madre de familia
numerosa y tener que atender a su trabajo fuera de casa — ha
20 echado sobre sí no la parte grata de una visita, sino la más engo-

66

rrosa y desagradable: papeleo, liquidación de impuestos, des-
plazamientos, servicio de intérprete, relleno de impresos, etc., etc.
Y no hay que decir que todo,[6] con el mayor calor, con la sonrisa
en los labios, con una efusividad que ríase usted de la solidaridad
5 mediterránea. Estos hechos, lo confieso, me hacen titubear a la
hora de redactar estas líneas. Quiero decir que me consta que bajo
su capa de indiferencia, el americano oculta un corazón extremadamente sensible. Romper aquella costra y llegar a ese corazón,
he ahí el problema.)

10 El yanqui, en resumen, cuando se da, se da del todo, de una
manera incondicional y absoluta, con un grado de generosidad
superior a la de otros pueblos. Ahora bien, de ordinario el
yanqui no se da; se guarda. Esta actitud responde seguramente a
una convención inexpresada pero no por ello menos notoria. Y
15 lo que en principio pudo ser un anhelo de celar la propia intimidad
y de no vulnerar la intimidad del prójimo es, hoy, una actitud
nata de reticencia. El yanqui, como persona y como familia tira a
independiente.[7] Le cuesta mucho menos dar un dólar que una
palabra. Su respeto al prójimo no implica, pues — aunque a veces
20 vaya aparejado — cordialidad.

El espíritu de independencia que anima al estadounidense
se hace especialmente patente en el ambiente familiar. Sería
ridículo que yo, a estas alturas,[8] me sumase al coro de críticos
fáciles que afirman que en los Estados Unidos no existe la familia.
25 Uno ha vivido en el seno de varias y puede atestiguar lo contrario.
Lo que sucede es que la familia americana no es precisamente la
familia española, o la familia siciliana; es, sin duda, más corta,
menos extensa — apenas padres e hijos, pocos hijos — y menos
trabada y duradera. Pero como familia, como entidad básica,
30 claro que existe y el hecho de que haya un porcentaje elevado de
quiebras matrimoniales no impide que lo normal sea lo otro. Y
diría algo más: lo que puede deshacerse por fatiga, de un plumazo[9]
y mediante unos dólares, suele ser más sólido — y por supuesto
más meritorio — que lo que no puede disolverse. Quiero decir que
35 el americano pronuncia el "sí acepto" y el "sí me otorgo" cada

día y que si una mañana decide no "aceptar" o no "otorgarse",
aquello se acabó. El yanqui se casa, pues, cada veinticuatro horas
y de ahí que la supervivencia del matrimonio y de la familia tenga
mayor valor. Otra cosa es que los cimientos de la sociedad, no
5 sean, por esta causa, todo lo estables y firmes que sería de desear.[10]
En cualquier caso, el fin de los hijos es aquí la emancipación, una
emancipación muy temprana, como la de los pájaros, y, por otra
parte, de la comunidad familiar es frecuente que queden al
margen los abuelos, los hermanos y los tíos. Es obvio que en
10 esto influye no poco la geografía, la inmensidad territorial de este
país. Así, el hecho de que un hermano viva en California, en Texas
el otro y el último en Nueva York, justifica por sí solo el que los
hermanos apenas se relacionen o se vean cada varios años. Para
el caso es lo mismo que si tres hermanos europeos vivieran uno en
15 Varsovia, otro en Estocolmo y el tercero en Madrid. En tales
circunstancias la reunión no sólo es difícil sino cara, lo que quiere
decir sumamente problemática y eventual. Mas si la distancia es
argumento valedero, en algunos casos, no lo es en todos. Quiero
decir que una vez que los hermanos abandonan el nido — aun
20 viviendo en las proximidades —, no es raro que la relación se
vaya atenuando poco a poco y, en algunos casos, llegue casi a
disiparse. Cada cual se concentra en su hogar, en su vida, en sus
problemas, en su familia íntima — hijos — con tal intensidad que
lo de fuera cuenta cada vez menos para ellos. Y lo de fuera son no
25 sólo amigos y compañeros, sino los abuelos, los hermanos, los
tíos y el resto de la familia. El acotamiento cordial del americano
es un hecho palpable. Incluso en su relación con los hijos menores
se manifiesta esta disposición del yanqui. O, a lo mejor, no existe
tal acotamiento sino simplemente una incapacidad para vigorizar
30 o extender los vínculos afectivos. Sea como quiera,[11] en un hogar
americano — con dos o tres hijos según media calculada a ojo,[12]
es decir, sin estadísticas — no existe ese clima cálido, de efusividad y confianza, que uno acostumbra encontrar en muchas
familias europeas. Insisto en que hay excepciones no sólo en
35 cuanto al número de hijos sino en cuanto al "calor de hogar",

pero creo — sin que asegure nada — que la tónica es la antedicha.
Posiblemente el fenómeno tenga algo que ver con la sustitución
del brasero* por el frigorífico como aglutinante familiar, lo que
equivale a decir que allá llegaremos, pero de momento, en 1965,
5 observo estas diferencias. Una madre de familia americana,
verdaderamente modélica, me decía: "A nosotros nos falta talento
para descender al nivel de nuestros hijos, para establecer con ellos
una auténtica comunicación." Y, en efecto, el padre americano
que con el matrimonio parece desentenderse de todo aquello que
10 podría interesar al niño — cine, fútbol, juegos, etc. — apenas
conecta con él más que para dialogar sobre estudios, incontestablemente el aspecto más ingrato de cuantos componen el limitado
horizonte infantil. Durante mis paseos por diversas ciudades
americanas, no he visto a un solo padre — aunque me aseguran
15 que los hay — jugando con sus hijos en el jardín. Los niños
juegan solos mientras el padre pinta la fachada o siega la hierba y
la madre prepara la comida. Y antes de terminar de comer, los
niños ya están pidiendo permiso para levantarse, acuciados por sus
problemas: concluir un partido iniciado, montar un automóvil de
20 juguete o leer un libro.

En rigor, los jóvenes padres americanos de nuestro tiempo
quieren evitar a toda costa lo que a ellos les ocurrió un día con
los suyos, esto es, que sus hijos se emancipen, escapen antes de
tiempo. Para ello se autoanalizan y llegan al convencimiento de
25 que si sus padres hubiesen sido más comprensivos, más tolerantes
con ellos, no se hubieran marchado o, al menos, la huída se
hubiera demorado. Entonces, el padre americano pasa al extremo
opuesto: se inhibe. No quiere coaccionar a su hijo, imbuirle ideas
de ningún género, presionarle respecto a su dedicación. Le deja,
30 pues, en plena libertad, contrariando lo menos posible sus
naturales impulsos. Cree que dándole de comer, proporcionándole
vestido y habitación, respetando su independencia, y, sobretodo,
dándoles buen ejemplo, es suficiente. Pero no acierta a adentrarse[13]

* **brasero** pieza de metal en la que se echa lumbre con carbón de piedra
para calentarse.

en sus sentimientos, en su corazón, en su mundo. Y por ahí falla.
De este modo, el mundo de estos niños únicamente es compartido
por otros niños — los amigos — que, lógicamente, crecen en un
ambiente análogo. En tales circunstancias, los niños se influyen
5 recíprocamente de tal manera que sus ideas sobre la familia
coinciden: los padres no se eligen, representan en cierto modo
un estorbo que hay que soportar hasta determinada edad. Ahora
bien, esta edad suele ser cada vez más temprana: 17 o 18 años.
Una vez alcanzada, el niño o la niña se van, ponen tierra por
10 medio.[14] Esto de poner tierra por medio no constituye en el caso
presente, una frase,[15] sino que encierra un significado literal. El
muchacho o la muchacha no sólo se van de casa — a estudiar o
a trabajar — sino que se van "lejos". Esto significa que cuanta
más tierra se puede poner por medio, mejor.[16] Así no es raro que
15 un muchacho neoyorquino se vaya a estudiar a California o a la
inversa.[17] Con una particularidad, el hecho de que el muchacho o
la muchacha encuentren trabajo en la ciudad de residencia de sus
padres, impedirá, claro está, "poner tierra por medio" pero no
bastará para interrumpir el proceso de emancipación. (En Wash-
20 ington he conocido a bastantes jovencitas, algunas hijas de
viuda, que viven por su cuenta y riesgo[18] — bastante riesgo — y
únicamente de tiempo en tiempo visitan a sus padres. El padre o
la madre — o los dos — lo lamentan pero se resignan. En puridad[19] no tienen derecho a quejarse; ellos treinta años atrás hicieron
25 lo mismo aunque fuese por motivos diferentes.)

Sea por fas o por nefas[20] a lo que el americano aspira es a poder
"vivir su vida" y cuanto antes mejor.[21] Yo diría que el niño americano adolece de una sensibilidad "colonial"; se siente, no diré
poseído pero sí sometido. Se ha forjado leyendo la historia de
30 George Washington y él, en la medida en que hoy esto le es posible, quiere imitarle. Norteamérica es un país con un gran amor a
la libertad y a la independencia formado por doscientos millones
de seres que, a su vez,[22] aman la libertad y la independencia. Y
estos conceptos encierran también una traducción familiar. Cada
35 niño, en su subconsciente, se siente "colonia" y sueña con la

autonomía, con gobernarse a sí mismo y de poco o nada vale que hoy la "metrópoli" suavice su trato y renuncie de antemano a la coacción. La familia — con guante blanco o con mano dura[23] — es una modalidad de tutela que los muchachos yanquis aceptan
5 hasta los diecisiete años, pero no más. A partir de aquí quieren ser ellos mismos y se emancipan o, al menos, lo intentan. Como el país, por otro lado, da bastantes facilidades para ganarse la vida, lo más probable es que no regresen. Un día, pasados los años, una carta anunciará que se casan. Tal vez otro día, pasados más años,
10 una nueva carta anunciará que han tenido un hijo. En todo caso, el segundo cordón umbilical quedará roto apenas abocado el muchacho — o la muchacha — a la adolescencia. La familia americana, pues, no ha desaparecido **pero** los vínculos que unen a sus miembros son **más débiles** y menos prolongados que en
15 España. Lo que en este resquebrajamiento ha significado el divorcio representa un tema intrincado y difícil que habrá que estudiar reposadamente y por separado.

MODISMOS

1. **hemos quedado en que**   we have established the fact that
2. **respecto del**   with regard to the
3. **así como así**   as soon as that
4. **se da del todo**   gives himself completely
5. **ni ha vendido el favor de su circunstancia**   neither has she taken advantage of her situation
6. **no hay que decir que todo**   it goes without saying that she did everything
7. **tira a independiente**   tends to be independent
8. **a estas alturas**   at this point
9. **de un plumazo**   with one fell stroke
10. **sería de desear**   might be desired
11. **sea como quiera**   be that as it may
12. **media calculada a ojo**   calculated guess, mean calculation

13. **no acierta a adentrarse**   he does not succeed in penetrating
14. **ponen tierra por medio**   they put distance between themselves and parents
15. **frase**   cliché, fixed expression
16. **cuanta más tierra se puede poner por medio, mejor**   the more distance one can put between parents and children, the better
17. **a la inversa**   the other way around
18. **viven por su cuenta y riesgo**   live on their own and at their own risk
19. **en puridad**   frankly
20. **sea por fas o por nefas**   rightly or wrongly, in any event
21. **cuanto antes mejor**   the sooner, the better
22. **a su vez**   in turn
23. **con guante blanco o con mano dura**   with permissiveness or with severity

EJERCICIOS

I. *Contestar:*

1. ¿Cuándo se entrega el americano al forastero?
2. ¿Por qué observa el americano tanta reserva con sus propios compatriotas?
3. ¿Por qué se maravilló Delibes de la mujer que le recibió en su casa dos días después de regresar del hospital? ¿Cómo le ayudó al forastero la madre de familia numerosa? ¿Qué actitud manifestó ella al hacer todo?
4. ¿Por qué dijo Delibes que "le cuesta mucho menos al americano dar un dólar que una palabra"?
5. ¿Qué espíritu anima al estadounidense?
6. ¿Cómo se difieren las familias americanas a las españolas?
7. ¿Por qué dijo Delibes que "el yanqui se casa cada veinticuatro horas"?
8. ¿Qué es "el fin" de los hijos?
9. ¿Quiénes quedan al margen familiar? ¿Cómo se lo explica?

10. ¿En qué se concentra cada cual?
11. ¿Qué no existe generalmente en un hogar americano?
12. ¿Cómo vio Delibes la relación entre padres e hijos?
13. ¿Qué quieren evitar los jóvenes padres americanos? Después de autoanalizarse, ¿a qué convencimiento llegan?
14. En cuanto a sus hijos, ¿cómo se inhibe el padre americano? ¿Qué cree él ser suficiente para cumplir sus funciones paternales?
15. ¿Cómo fallan los padres americanos?
16. ¿Con quiénes es compartido el mundo de los niños? Explicar las ideas que tienen los niños sobre la familia.
17. ¿Qué observó el autor con respecto a la selección de universidades o empleos por los jóvenes? ¿Cómo se manifiesta la emancipación del joven quien vive en el mismo pueblo que sus padres?
18. ¿Qué quiere decir el autor cuando habla de la "sensibilidad colonial" del niño americano?
19. ¿Hasta qué año generalmente se resignan los hijos a la tutela familiar?
20. En la poca correspondencia con los padres ¿qué anuncian los hijos ya "emancipados"?

II. *Discutir:*

1. ¿De quiénes se compone la familia de Vd?
2. ¿Cómo está organizada la vida familiar suya? Es decir, ¿tienen los hijos ciertas responsabilidades en casa? ¿Existen las mismas actitudes juveniles descritas por el autor? ¿Le dejan sus padres en plena libertad, sin coaccionarle en ningún modo?

III. *Escribir en español:*

We have established the fact that the American will conduct himself in a friendly way if the foreigner takes the initiative, but the reserve does not disappear so quickly with a fellow American.

It is possible that the American is afraid of disturbing another or of being disturbed and therefore, ordinarily, does not give himself unconditionally to others. But when he does so, he is extremely generous.

The independent spirit that animates the U.S. citizen is especially noticeable in the family environment, where each family concentrates intensely on its home, its life, and its problems. The intimate family consists only of parents, sons, and daughters, but friends, grandparents, aunts, and uncles remain at the edge of the family. Perhaps the territorial immensity of the country contributes to this isolation but even when children live in nearby areas, they occupy their own residences and only visit their parents from time to time. There does not exist the same effusiveness and warmth that one is accustomed to find in many European families.

Parents do not want to infuse any kind of idea in their children, but rather to leave them absolutely free. They think that it is enough to give their children something to eat, a room, and clothing. Consequently the children share only the world of other children, never the sentiments of their parents. Sons and daughters leave home very young. If they leave home to study or work, the more distance they can put between themselves and their family, the better! From time to time they write home to announce that they are getting married or that they have had a child. But the umbilical cord is broken permanently at adolescence.

IX
EL DIVORCIO

Sería necio tratar de ocultar ahora los estragos que el divorcio ocasiona en USA; estragos de todo orden: niños sin amor y sin hogar; padres desquiciados, insatisfechos; endurecimiento progresivo; recelos y desconfianza. Pero entiendo que lo peor del
5 divorcio no es el divorcio en sí, sino el saberlo siempre a mano,[1] la conciencia, en una palabra, de que el matrimonio no es un paso decisivo; esto es, que si la cosa falla — o nos lo parece — siempre será posible recular. Esta conciencia fomenta el matrimonio apresurado, el matrimonio sin edad de discernimiento, sin amor o
10 sin recursos, cuando no sin ninguna de las tres cosas. El matrimonio en América, para no pocos americanos, ha dejado de ser una cosa seria. Esto, por evidente,[2] no merece la pena considerarlo, lo que no quita para que uno se descubra[3] ante esos millones de matrimonios americanos que soportan las más duras pruebas, los
15 más esquinados escollos, sin dejarse arrastrar por la tentación fácil — allí lo es[4] — de desandar el camino andado para volver a empezar. Porque el divorcio brinda no sólo la oportunidad de enmendar un error, cuando éste existe, sino la ocasión de inventar ese error cuando nos conviene. En definitiva,[5] la estabilidad del
20 matrimonio depende del capricho de los dos cónyuges, hasta el

75

punto de que no es infrecuente encontrar matrimonios rotos porque el marido bebía cuatro whiskis diarios o porque la mujer roncaba. Las estadísticas, en este sentido, ofrecen unos cuadros desoladores. En los últimos sesenta años el número de hombres y
5 mujeres divorciados ha pasado de ser el 0,8 al 5 por ciento. Claro que esto apenas quiere decir nada. Estas cifras se refieren al número de divorciados existentes en un momento dado, pero si reparamos en que la mayor parte de ellos se vuelven a casar, los cuadros estadísticos expresan bien poca cosa.[6] Por eso considero
10 más elocuente la cifra global de divorcios anotada en USA durante el último año: 380.000 en números redondos. La verdad es que se trata de un guarismo que infunde respeto, que apabulla. Aun tratándose de un pueblo con cerca de doscientos millones de habitantes, más de mil divorcios por día son, por donde quiera que se
15 lo mire,[7] demasiados divorcios. Mas con ser importante la cifra, constituye aún peor indicio el hecho de que en relativamente pocos años el número de divorcios en Norteamérica se haya doblado dos veces. El país todavía no es Hollywood, es cierto, pero la tendencia es peligrosa. Y si aun USA se resiste a admitir — aunque
20 el cine se obstine en ello — el matrimonio y el divorcio subsiguiente como un juego, es palmario que a uno y otro les está perdiendo el respeto. Aquí vendría a pelo,[8] y lo utilizaría si no fuera un argumento tan socorrido, aquello de la bola de nieve rodando por la pendiente.
25   Este aumento considerable de los divorcios, con toda su cohorte de niños sin padres y de mal ejemplo, responde, principalmente, a unos principios ya señalados antes de ahora. El progreso general, la creciente prosperidad del país, la mecanización vertiginosa, la eliminación de las más insignificantes molestias (mover a mano el
30 cepillo de dientes o la bayeta de los zapatos), ha originado una situación, digamos de beatitud material, de molicie, que, a la larga, termina por debilitar al pueblo que la padece o, si se prefiere, que la disfruta. Los americanos, a estos efectos, son un poco como los niños mimados. El niño mimado es cada día más reacio al
35 dolor, a cualquier contrariedad; los padres le facilitan todo, se lo

dan todo hecho,[9] le ríen todas las gracias. . . Pues bien, algo de esto le sucede al americano. Su pujanza, el bienestar general, origina una sociedad satisfecha, con todo regulado, previsto hasta la minuciosidad. Este estado de holgura, este habituamiento a

5 que el Estado o el Municipio nos resuelvan a satisfacción no pocos problemas y, al propio tiempo, el desahogo económico en que se mueve la inmensa mayoría del país, comportan un enervamiento de las reservas morales que se traduce en una resistencia cada vez más acentuada no ya a encajar la adversidad sino, sencillamente,

10 el más pequeño revés. Después de todo, esto no es inventar nada. El desmoronamiento de los grandes imperios, la caída de los pueblos que han hecho la Historia, ha llegado siempre tras la atonía típica que produce la embriaguez de la victoria (no hablo, claro es, en términos estrictamente militares) y el abandono sub-

15 siguiente al engrandecimiento. En la medida en que acertemos a encajar el progreso americano de hoy en otras épocas, lograremos ver más o menos claramente que las cosas, en efecto, han sucedido siempre así. Eso, naturalmente, no es obstáculo para que el pueblo americano, como el niño regalado, no sea capaz de un gesto y

20 aun de los mayores heroísmos. Es más, el niño mimado, como el hombre americano, es más capaz de un arranque en que se juegue todo que de pechar con una pequeña contrariedad,[10] con la minúscula chinchorrería cotidiana. Así, un día, el americano — o la americana —, como el niño mimado, chillará: "¡Ya no lo

25 quiero!" y de nada valdrá que intentemos persuadirle de que lo tome, de que es suyo. La insistencia resultará contraproducente. Lo malo es que mientras el niño mimado renuncia al juguete, se ha cansado de él, el americano — o la americana — de lo que se ha cansado y a lo que renuncia, es al matrimonio, a la familia. Yo

30 creo, firmemente, que el americano — que en circunstancias ex-cepcionales es sufrido y estoico — en la rutina diaria muestra poca resignación y casi ninguna capacidad para soportar los defectos ajenos. Y antaño, cuando el sentimiento religioso era más vivo y las tragaderas de la sociedad más estrechas, aquel sentimiento o

35 el temor al escándalo frenaban — o retardaban — ciertas deci-

siones irreparables. Hoy, no. Hoy, teóricamente, tres cuartas partes del pueblo americano pertenecen a una iglesia, pero la realidad
es muy otra; quiero decir, practicantes son los menos.[11] En cuanto
a la sociedad, aleccionada torpemente por Hollywood y por sus
5 astros y estrellas más rutilantes, ha acabado por aceptar el divorcio
como un hecho natural; hoy el anuncio de un divorcio puede
apenar a la familia de los cónyuges, pero escandalizar, lo que se
dice escandalizar, ya no escandaliza a nadie.

Todo esto no es más que una cadena; desgraciadamente una
10 cadena sin fin. Si el divorcio es fácil ¿por qué meditar tanto el
matrimonio? Me gusta esta chica, pues, ¡adelante! Un mes, dos
meses de relaciones, bastan. Si no sale bien, ya daré marcha atrás.[12]
El período de prueba, de conocimiento, que es el noviazgo — y
la única garantía allí donde el matrimonio es un acto irreversible
15 — carece en USA de sentido. La boda, es, sin duda, una prueba
más completa, un ensayo general a toda orquesta.[13] Y si después
de estampar la firma uno puede usar la goma de borrar ¿por qué
hacerle dengues a rubricar el acta? Si a esto se le añade que las
Universidades brindan apartamentos para matrimonios en buenas
20 condiciones, poco puede sorprendernos ver a la muchachita de 17
años que empieza Letras casada con el muchachito de 18 que
inicia Económicas porque se gustan y pagar el pisito junto a las
dos Facultades[14] va a significar prácticamente lo mismo — si no
menos — que pagar cada uno su habitación en las respectivas resi-
25 dencias. Todo excesivamente sencillo como se ve. ¿Que cuando[15] la
muchachita termina Letras y el muchachito Económicas el apartamento se ha convertido en un infierno? Bueno, antes de empezar
a ejercer habrá que pensar en el divorcio. Y aquí viene el
único freno: Los dólares. Divorciarse no es difícil en América
30 pero sí es caro. En este aspecto la mayor parte de los Estados,
percatados de la disolución social que el divorcio comporta, le
ponen a la separación altos precios y plazos prolongados. Es decir,
el divorcio hay que pensarlo y pagarlo. Naturalmente esto es la
teoría. De ordinario el divorcio se paga pero no se piensa. Esto
35 es, lo mismo que el matrimonio, sólo que ahora en lugar de unir

se trata de desunir. De hecho, tras la petición y separación subsiguiente, una — y uno — vuelve a estar en estado de merecer.[16]
De otro lado, como América es grande y cada Estado tiene sus
leyes, siempre es posible hallar solución a los problemas. Y la
5 solución a este problema de los largos plazos para el divorcio se
llama Nevada (creo que es Nevada, aunque para el caso es lo
mismo[17]). Si a uno le apremia el divorcio, váyase a Nevada. Bastarán dos meses de residencia en el Estado para solventar la
papeleta. Nadie lo da más fácil que Nevada por lo que no es de
10 extrañar[18] que Nevada se haya convertido hoy en un foco de
atracción turística.

— Pero ¿los hijos?

— ¡Ah, los hijos! Pues tiene usted razón. El Juez decidirá,
supongo.

15 En realidad, el problema del divorcio es, a mi entender,[19] un
gravísimo problema. Y no tanto su existencia — siempre hay que
admitir un margen de errores aun en los matrimonios más medi-
tados — como su extensión. Y si de una parte, esta lastimosa
proliferación del divorcio, confirma la tendencia a la emancipación
20 del yanqui (el americano, en toda circunstancia, como vemos,
tiende a despegarse, a independizarse, a escapar), por otra es el
resultado que cabía esperar de esas posiciones filosóficas novísi-
mas — divulgadas por sociólogos, siquiatras y pedagogos — de
que la resignación, la resistencia a toda inclinación o deseo, es,
25 en el mejor de los casos, una necedad.

MODISMOS

1. **a mano**   at hand
2. **por evidente**   obviously
3. **lo que no quita para que uno se descubra**   a fact that does not
   prevent one from taking his hat off
4. **allí lo es**   there you have the matter
5. **en definitiva**   in short

6. **bien poca cosa**   very little
7. **por donde quiera que se lo mire**   however one may look at it
8. **vendría a pelo**   it would fit the case perfectly
9. **se lo dan todo hecho**   they hand him everything on a silver platter
10. **es más capaz de un arranque en que se juegue todo que de pechar con una pequeña contrariedad**   is more capable of an impulse in which all may be gambled than he is of taking on a small annoyance
11. **practicantes son los menos**   those who practice their faith by attending church are in the minority
12. **daré marcha atrás**   I shall retreat, I'll sever my matrimonial ties
13. **a toda orquesta**   with no holds barred
14. **Facultades**   colleges or schools of a university, like *Facultad de Filosofía y Letras* (College of Arts and Sciences) or *Facultad de Economía* (School of Economics)
15. **Que cuando**   So what when
16. **vuelve a estar en estado de merecer**   one is again in the marriage market
17. **para el caso es lo mismo**   this place (i.e., Nevada) is as good as any to explain the point
18. **por lo que no es de extrañar**   so it is not surprising
19. **a mi entender**   in my opinion

EJERCICIOS

I. *Contestar:*

1. Enumere Vd. los estragos que el divorcio ocasiona en USA.
2. ¿Qué es peor que el divorcio en sí? ¿Qué fomenta esta conciencia?
3. ¿Sobre qué depende la estabilidad del matrimonio americano?

4. ¿Cómo interpretó Delibes las cifras estadísticas sobre el divorcio?

5. ¿Qué ha originado una situación de molicie en USA? A la larga, ¿qué efecto tiene esta molicie sobre el pueblo?

6. ¿A quiénes se parecen los americanos? ¿Cómo explicó Delibes la comparación?

7. ¿Qué opinó Delibes sobre el carácter americano en circunstancias excepcionales y rutinarias?

8. En cuanto a la sociedad estadounidense, ¿cómo reacciona al anuncio de un divorcio?

9. ¿Qué sentido tiene el noviazgo en Europa? ¿en los Estados Unidos?

10. ¿Cómo contribuyen apartamentos universitarios a la falta de estabilidad matrimonial?

11. ¿Qué es el único freno para demorar el divorcio?

12. ¿Cuántos meses de residencia bastan para divorciarse en Nevada?

13. ¿Cómo contribuyen los sociólogos, siquiatras y pedagogos a la existencia de tanto divorcio en USA?

14. ¿Qué opina Vd. sobre el problema del divorcio en los Estados Unidos? ¿Se opone Vd. a las observaciones del autor? ¿Por qué? o ¿Por qué no?

15. ¿Por qué cree Vd. que Delibes se haya expresado tan deliberada y apasionadamente sobre este tema del divorcio?

II. *Dé usted un resumen del contenido de este capítulo en una forma oral o escrita.*

X
LOS VIEJOS

El celo por preservar su independencia, la rápida dispersión familiar, la escasa aptitud del americano para tolerar defectos ajenos,
nos trae de la mano, aun sin quererlo, una víctima de la sociedad
yanqui: el viejo. ¿Qué puede hacer un viejo en estas ciudades
5 disparatadas — Nueva York, Chicago, Los Ángeles, San Francisco — una vez que pierde la energía para apretar unos pedales
y los reflejos para manipular un volante? Desde luego, si está
enfermo, lo mejor que puede hacer es internarse en un hospital y,
aun sin estarlo, lo que más le convendría sería morirse; morirse de
10 un ataque al corazón que es, a juzgar por las estadísticas de este
país, la forma más moderna y evolucionada de morirse. En una
sociedad como ésta, esencialmente dinámica, no hay lugar para
los viejos; los viejos constituyen un freno; estorban. El hombre o
la mujer que van amontonando años y que ven llegar paso a paso
15 el momento de la incapacidad física, están irremisiblemente abo-
cados a la soledad: he aquí el negro fantasma que gravita sobre
cientos de miles de norteamericanos. La familia hace años que se
rompió — o se disolvió — los hijos están lejos, los nietos apenas
si[1] conservan un vago recuerdo de la abuela y, en todo caso, ni
20 aquéllos ni éstos, están dispuestos a aceptar la responsabilidad de
los viejos.

La vida americana está organizada para gente sana y fuerte. Los enfermos, al hospital; los muertos, al Funeral Home; los ancianos, al asilo. Ésta es la triste realidad. Todavía en los lugares abarcables, en las ciudades apacibles, recogidas — ahora recuerdo
5 Columbus y Annápolis — los viejos aún pueden encontrar un rayo de sol y la compañía de otro viejo. Pero ¿y en estos colosos de piedra, cemento o madera? ¿Cómo recorrer 20, 30 kilómetros al día para buscar el consuelo de un amigo y disfrutar juntos de un rayo de sol? No, de ordinario, en los hogares americanos no hay
10 lugar para el viejo, para el enfermo o para el muerto. Tales entorpecimientos están previstos por la sociedad. Cada Estado dispone de los suficientes hospitales, orfanatos, asilos y Funeral Homes para acoger a todos los enfermos, huérfanos, viejos y muertos que puedan presentarse. El sentido práctico se ha impuesto aquí sobre
15 el sentimiento; le ha dominado. Y esto que es plausible en muchos casos — enfermos y muertos — resulta excesivo, a mi entender, para con[2] los viejos. La actitud del americano ante éstos demuestra, por un lado, el rango primordial que en esta sociedad se da a la eficacia y, por otro, que el calor de hogar se ha entibiado por
20 aquellas latitudes; se trata de un calor rebajado, un calor que sirve para los que todavía irradian calor, pero insuficiente para los que más lo necesitan porque ya no lo irradian; es decir, para los viejos. De aquí que los suicidas, los alcohólicos, los morfinómanos que la soledad provoca en Norteamérica sean infinitamente más que los
25 que motiva la miseria. El pan está aquí al alcance de todos; lo que ya no es tan fácil encontrar es compañía o, a ciertas edades, calor.

Y ¿qué han hecho o han dejado de hacer los viejos para merecer este castigo? He aquí, a mi juicio, el nudo de la cuestión. Los viejos no son propiamente unas víctimas del sistema; quiero decir,
30 unas víctimas inocentes, o sea que el sistema se haya montado a sus espaldas.[3] En su día, los viejos — cuando no eran tan viejos — entraron en el juego, cooperaron a formar y a sostener aquel sistema. Con frecuencia, en mis visitas a hogares americanos he oído elogiar cálidamente la institución de la abuela española:
35 — ¿Qué hacen ustedes para conseguir esas abuelas? Yo daría

la mitad de mis ingresos por poder contar con una abuela española. Naturalmente el americano añora la abuela española en su fase útil, es decir, esa abuela que oscila entre los cincuenta y los setenta años y para la que no hay mejor esparcimiento que el pasar la
5 tarde con los nietos. Una abuela en esta disposición resolvería, no cabe duda, multitud de problemas en los hogares americanos. Pero este tipo de abuelas no se improvisa. Es el resultado de un proceso paulatino y, en última instancia, la consecuencia lógica de un viejo concepto familiar:
10 — Mire, ustedes fabrican bien los automóviles; nosotros, las abuelas; nuestras abuelas están tan perfectamente rematadas que rara vez hay que mandarlas al taller. Son dos habilidades distintas. Ustedes envidian nuestras abuelas y nosotros sus automóviles. Así es la vida.
15 Pero, claro está, para formar una abuela española se requiere mucho tiempo. La abuela española empieza a hacerse, afinando un poco, en las entrañas de la bisabuela; aspiro a decir que estas abuelas empiezan a ser así desde antes de nacer,[4] porque la estructura humana y social española está dispuesta sobre unas viejas
20 normas inmutables de solidaridad y convivencia. La abuela, antes de serlo, vivirá para sí, se enamorará, se casará, educará a sus hijos, pero en el momento en que éstos empiezan a desdoblarse, la abuela española regresa, deja de vivir su vida, de fabricar historia; su vida, su historia se funde con la de sus hijos y la de los nietos.
25 Para ella — hablo en general — apenas hay ya otros horizontes. La abuela comienza, pues, a vivir en función de[5] sus hijos y sus nietos; se rodea de ellos en las solemnidades familiares o un día a la semana. Y cuando ellos no van a su casa, la abuela acude a la de ellos. Toma las riendas del nuevo hogar cuando sus hijos se
30 ausentan. En una palabra, revive su historia, no como protagonista, sino desde un segundo plano, que ella acepta de buen grado.[6] Por otro lado, no considera estas obligaciones como un sacrificio, sino como un don, como una justificación de sus años maduros. De este modo, su vida no está vacía: el hueco de sus hijos lo llenan
35 ahora los nietos.[7] Y cuando ella se sienta no digamos abuela sino

vieja, vieja literalmente hablando, la soledad tampoco hará presa
en ella; a esas alturas, su persona se ha hecho imprescindible, ha
llegado el momento de pasar la factura,[8] factura que los hijos y los
nietos pagarán sin pestañear, sin considerarla una carga, porque
5 el cariño jamás se toma en las familias-piña como un deber.

¿Y la abuela americana? ¿Es que la abuela americana se comporta de otra manera? Bien mirado, la abuela americana no se
siente abuela mientras no se siente vieja; esto es, los nietos no la
hacen retornar; la abuela yanqui sigue viviendo su vida mientras
10 sus piernas pueden oprimir los pedales del coche y sus manos
accionar el volante. Su historia sigue su rumbo, continúa, no
regresa. La abuela americana, al casar a sus hijos, se siente, de
pronto, independiente, como sus hijos cuando cumplieron quince
o dieciséis años. Pierde el calor de hogar, pero mientras el corazón
15 responda tampoco lo echa de menos.[9] El cuerpo social americano
está montado sobre la reunión. Las reuniones aspiran a sustituir
el calor de hogar. La gente se reúne en juntas de vecinos, en juntas
parroquiales, en juntas profesionales, en clubs de mero recreo.
(La democracia yanqui ofrece ramificaciones incontables; sigue
20 pensando este pueblo — y en su caso, al menos, es cierto — que
de la discusión sale la luz.[10]) La abuela americana encuentra, pues,
en estas reuniones — y en su trabajo — un refugio. Los hijos y las
hijas allá se las compongan, como ella se las compuso cuando tenía
treinta años. Es otra colonia independizada, autónoma; otra
25 George Washington. No se esfuerza mucho por granjearse el
afecto de sus nietos; por hacerse imprescindible. Un domingo
pasado en el Country Club, de Washington, me permitió observar
a las abuelas acomodadas americanas en su salsa.[11] Paseo por el
campo de golf, comida — en el "Sírvase usted mismo"* — con
30 las amigas y, después, un poquito de "bridge", o de canasta, o de
"pinacle". Mientras, los hijos permanecían en sus casas con los
nietos o los llevaban de excursión; entre ellos y la abuela no se
establecía contacto; eran dos mundos.

---

* "Sírvase usted mismo"   a la moda de la cafetería.

Pero, de repente, sobreviene la decadencia. La abuela se hace abuela-abuela; se inserta en la vejez. El automóvil no sirve: falta fuerza, faltan ánimos, falta voluntad. ¿Qué puede esperar esta abuela de unos seres prácticamente desconocidos, de un campo sin
5 sembrar?* Cardos, naturalmente.† Pero ¿y si los proveedores no nos proveen, si comprar unas manos‡ que nos sirvan cuesta una fortuna, si tampoco puede "servirse una misma", si la soledad empieza a cercarla, a acosarla; si no puede acudir — porque queda a muchos kilómetros — al "bridge" o a la canasta? ¿Qué hacer?
10 He aquí el fin. Pero convengamos en que en esta dolorosa soledad de los viejos ellos han tenido buena parte;[12] la han elaborado paso a paso; se la han ganado a pulso.[13] No se trata ya de que los hijos la hagan el vacío; ella, con antelación,[14] se hizo el vacío entre los hijos y los nietos. No es, pues, éste un "happy ending", a la ameri-
15 cana, sino un final dramático aunque previsible.

Por esto, los yanquis, que a falta de aglutinante familiar, disponen de una inimaginable capacidad de organización, de un sentido de futuro espléndido, de una rara facultad para hallar el sucedáneo, han levantado en todas partes unas fabulosas Casas de
20 Viudas: (De viudas de militares, de funcionarios, de profesores, etc., etc.), casas que son auténticos hoteles de lujo. Una tarde he visitado la Casa para viudas de militares, en Washington. Se trata de una construcción asombrosa, con doscientos cincuenta apartamentos, bares, salones alfombrados, bibliotecas, salas de juego,
25 galería para solearse, televisores en todas las habitaciones, etc. Tampoco faltan allí, los jardines, jardines parcelados con objeto de que cada vecina pueda cultivar en cada estación las flores que apetezca (he aquí un detalle muy americano, detalle que acredita la sensibilidad de este pueblo), un pabellón independiente, con

---

* **de un campo sin sembrar**   Puesto que la abuela no se ha esforzado por granjearse el afecto de sus nietos, en su vejez incapacitada, se queda sola.

† **Cardos, naturalmente.**   ¿Qué puede anticipar la abuela-abuela si no ha ganado el cariño de sus nietos? Nada más que un desierto, una tierra árida, un vacío.

‡ **si comprar unas manos**   si pagar criados.

bar y salón, donde cada viuda puede ofrecer sus "partys" y reuniones y unos asépticos, inmaculados, comedores comunitarios. De
este modo la inquilina puede optar por la agrupación o la independencia (en cada apartamento existe una pequeña cocina sufi-
5 ciente para dos o tres personas). En fin, aquí, en una de estas casas,
una viuda vieja puede encontrar de todo y de todo lo mejor. Lo
que nunca podrá hallar, por muchas vueltas que le dé,[15] es el calor
de hogar; la compañía de los hijos y los nietos. Y esto — que
nosotros lo tenemos — siempre es consolador y aun diría esencial
10 para una vejez feliz.

Sin embargo, nuestro punto vulnerable está, precisamente, en
que esos establecimientos para viudas, ancianos o huérfanos —
aunque no sean muchos los que en España los precisan — son, en
nuestro país, con demasiada frecuencia, caseretones destartalados,
15 lóbregos, tenebrosos, no diré sin calor de hogar sino hasta sin el
calor de una modesta estufa de serrín o de butano. Quiero decir,
que los viejos abandonados por la familia y la sociedad, son, en
España, comparativamente, poca cosa, pero estos viejos están,
para nuestro bochorno, abandonados del todo. (El calorcito
20 tenue de unas Hermanas de la Caridad, justo es reconocerlo —
junto a donaciones esporádicas y de ordinario muy cortas — es,
desgraciadamente, lo único que les llega.)

MODISMOS

1. **apenas si** scarcely, hardly
2. **para con** toward
3. **a sus espaldas** indiscernibly, unnoticed
4. **desde antes de nacer** even before being born
5. **en función de** in service to
6. **de buen grado** willingly
7. **el hueco de sus hijos lo llenan ahora los nietos** the grandchildren fill the vacancy left by her children's departure from
   home

8. **ha llegado el momento de pasar la factura**   the time has come to relinquish all duties
9. **mientras el corazón responda tampoco lo echa de menos**   as long as she is able to be active, she doesn't miss the love and warmth of her family
10. **sale la luz**   there comes understanding
11. **en su salsa**   at their ease
12. **han tenido buena parte**   have had a good share of the blame
13. **a pulso**   the hard way
14. **con antelación**   in advance
15. **por muchas vueltas que le dé**   no matter where she may look for it

EJERCICIOS

I. *Contestar:*

1. ¿Cómo explicó Delibes su impresión del viejo como víctima de la sociedad yanqui?
2. ¿Por qué no hay lugar para los viejos en USA?
3. ¿Qué constituye el negro fantasma para los viejos?
4. ¿Qué es la actitud de los hijos y nietos hacia los abuelos?
5. ¿Para quiénes está organizada la vida americana? ¿Por qué llegó Delibes a tal conclusión?
6. ¿Qué sentido se ha impuesto sobre el sentimiento? ¿Qué tiene, pues, el rango primordial en USA?
7. ¿Qué puede provocar el suicidio y el alcoholismo en los Estados Unidos?
8. Al visitar unos hogares americanos, ¿qué oía Delibes con frecuencia? ¿Qué fase de la abuela española interesa más a los americanos?
9. ¿Dónde empieza a hacerse la abuela española? ¿Por qué?
10. ¿Cómo se difieren los horizontes de las abuelas españolas

y norteamericanas? ¿Cómo se difieren las actitudes familiares hacia las abuelas?

11. ¿Por qué existen tantas reuniones americanas?
12. ¿Cómo se ocupaban las abuelas que Delibes observaba en
el Country Club de Washington?
13. ¿Por qué se les dio la culpa a las abuelas mismas por su
soledad?
14. Describa Vd. la Casa para viudas de militares en Washington. ¿Qué le faltaba?
15. ¿Qué nos dijo Delibes sobre los establecimientos españoles
para viudas, ancianos, huérfanos?
16. ¿Cree Vd. que Delibes haya visto claro o mal la situación de
los viejos en los Estados Unidos? ¿Qué opina Vd. sobre los
abuelos norteamericanos?

II. *Escribir en espanol:*

Generally in the United States a man or woman does not work
in the industrial or professional life after the age of sixty-five.
Frequently a married couple will go to Florida or to Arizona,
where they believe they can live more economically and enjoy
friends who also do not work any more. But they miss their children. The children can visit them only from time to time. Although
there are many automobiles to take the family to see the grandparents, nevertheless there are great distances between cities and
there are only a few weeks when the father enjoys a vacation
and when the children do not attend school. The expressways
are excellent, but the children grow tired and the parents too.
The trip is worthwhile, however, because the grandparents are so
happy to see the grandchildren.

In Spain, two or three generations often live in the same city.
Therefore, it is easier to make a visit to the grandparents or to
invite the grandparents to the various homes to see their grandchildren. The Spanish grandfather finds his pleasure in taking a

walk with his grandchildren, or stopping in a restaurant for a cup of coffee while he chats with his friends. The grandmother has a secondary role in her children's homes and she accepts it with resignation because she is happy in the warmth of the homes, in her affection for her grandchildren, and, of course, in the affection the grandchildren show to her.

In Spain family life is organized for the healthy and the ill, the young and the old. The Spaniard feels a responsibility toward his parents, grandparents, brothers and sisters, aunts and uncles, friends and all other persons of the family center. In the United States the family circle is smaller. Society feels a responsibility for the ill, the orphans, and the old. Therefore, there are many hospitals, orphanages, and nursing homes. Unfortunately, these fine places do not always offer family warmth.

Verdad o Mentira
Capítulos I–X

Según Delibes:

1. Nueva York se asemeja a una jungla brasileña.
2. La señorita cónsul le dijo al autor que precisaba reconocimiento sanitario para visitar en USA.
3. Al ver los rascacielos en Nueva York, se tiene una impresión de vorágine, de vitalidad.
4. La Gran Vía es un edificio madrileño donde se venden las últimas modas importadas.
5. Ninguna invención es imposible a los norteamericanos.
6. El norteamericano prefiere arrojar a la basura cualquier aparato estropeado porque le resulta más barato que hacerlo reparar.
7. Los norteamericanos trabajan mucho en casa porque les falta dinero para pagar criados.
8. El cine norteamericano presenta impresiones muy verdaderas de la vida estadounidense.
9. Los matrimonios norteamericanos como los de España buscan una casa o un apartamento con la intención de vivir allí largo tiempo.
10. Washington es una ciudad fea, sucia, desordenada con pocos árboles.
11. En Washington hasta los habitantes mismos no conducen sus coches por las calles sin un plano de la ciudad.
12. La convivencia es una característica norteamericana hacia el forastero.

13. Entre las familias mediterráneas existen vínculos afectuosos y efusivos.

14. En primer término, la máquina causa el espléndido aislamiento del norteamericano.

15. La vivienda unifamiliar unifica a los norteamericanos.

16. Los hijos norteamericanos esperan una emancipación temprana, distándose del ambiente familiar.

17. Los hijos españoles piensan que el cuidado de unos abuelos es una carga.

18. Las reuniones en clubes sustituyen el calor de hogar.

19. La abuela norteamericana es responsable por su soledad en la vejez incapacitada.

20. El divorcio escandaliza al norteamericano como al europeo.

21. La abuela española se dedica cuanto posible a la familia.

XI

LA COCINA

De siempre[1] tuvo la cocina norteamericana mala prensa; el yanqui arrastra fama de comer sobre la marcha,[2] frío y deficientemente. Es claro que este capítulo de la cocina, como todos los capítulos, puede prestarse a interpretaciones; esto es, muy bien puede ocurrir
5 que si el americano come maíz o zanahorias crudas o pescado congelado es porque le agrada hacerlo así. No obstante, cuando uno ha visto a no pocos[3] yanquis despacharse a su gusto[4] — muy a la europea[5] — en nuestros figones y tabernas imagina que si en su tierra come de otra manera es sencillamente, porque la diná-
10 mica del país le obliga a ello. El americano, en América, no vive para comer — en hacerlo gasta no sólo poco dinero, sino también poco tiempo —, se limita a comer para vivir. El enfoque del asunto es diferente, como puede verse y, por ello,[6] no debe extrañarnos el hecho de que el yanqui desayune* opíparamente, almuerce un
15 poco de queso o un poco de jamón con una hoja de lechuga y una rodaja de tomate, y coma — a las seis o siete de la tarde† — una

----

* **desayune** En España se toma poco desayuno: generalmente sólo pan y mantequilla, café con leche.

† **a las seis o siete de la tarde** En España se habla "de la tarde" hasta las ocho o las ocho y media.

minuta más o menos formal, en familia, y comentando las inci-
dencias del día. De este modo, la jornada laboral — que tiene
prioridad sobre la jornada gastronómica — no sufre interrupción
por causa del estómago. Lo que queda por demostrar — y no es
5 moco de pavo[7] — es si las cosas marchan bien en el país a causa de
esta dieta o por el contrario, el régimen de comidas tiene poco o
nada que ver con la estabilidad política y la prosperidad económica; esto es, con el otro régimen. En todo caso, la imposi-
bilidad material de comprar la comida al día,* el hecho de que la
10 mujer trabaje y la casi absoluta ausencia de servicio doméstico,
son contingencias que invitan a la improvisación. Y, en definitiva,
la comida americana no es otra cosa que una comida improvisada;
una función en la que una mujer — o un hombre — no necesita
invertir (entre pelar patatas, desplumar un pollo, picar una cebolla
15 y calentar el aceite) ocho de las veinticuatro horas del día. Para
eso está el supermercado. El supermercado nos brindará todo a
punto o a medio punto[8]: las patatas a medio freír, el puré de patatas deshidratado (solamente a falta de agua o leche), los macarrones cocidos y las chuletas envueltas en una capa de manteca.
20 Un envase de aluminio — que una vez concluida la comida irá
a la basura — facilita el recalentamiento, o el asado en su caso.[9]
Es obvio añadir que la comida fraguada en dos etapas nunca
podrá adquirir la misma riqueza de matices[10] que una comida
elaborada en una sola, minuciosa y sosegada etapa. Pero del
25 tiempo se ha dicho que es oro y no, que yo sepa, que sea un
suculento solomillo. Y si la norteamericana despacha la cocina en
media hora mientras la europea emplea seis, nada puede extrañarnos que un modesto trabajador embolse en este país diariamente quince dólares — novecientas pesetas — de los cuales le
30 bastarán dos para acallar el hambre tres veces por día. Esto significa, llanamente, que, para el americano, comer no constituye
problema, ni culinario, ni, por supuesto económico.

* **la comida al día** A las dos o las dos y media se sirve la comida al día,
compuesta de muchos platos: sopa, pescado, carne con legumbres, ensalada,
fruta o queso, flan, té o café.

No se precisa demasiada agudeza para deducir de todo lo dicho,[11] que media casa americana es la nevera. La nevera, por estos meridianos, es un trasto de primerísima necesidad y, por descontado, un trasto que se adquiere por cuatro perras gordas*
5 (menos gordas, además, que en Europa por aquello de que[12] el trabajo está mejor retribuido). Pero hablemos un poco de este artefacto inexcusable, que, de ordinario, no es un trasto, sino dos. Quiero decir que en las familias de cuatro o cinco miembros, existe lo que podríamos denominar un frigorífico de mano[13] — con una
10 capacidad aproximada de 500 litros — y una nevera nutricia, esto es un enorme cajón congelador — el freezer — ubicado generalmente en el sótano, que holgadamente puede albergar las existencias de una de nuestras tiendas de comestibles. Asomarse allí es asomarse a un matadero; un matadero aséptico, donde la
15 sangre ha sido sustituida por manteca y papel de celofán. En la nevera nutricia se almacenan alimentos para dos meses o tres: grandes piernas de cordero, pollos, solomillos de buey, jamón cocido, pan (en las mil y una variantes que adopta el pan — ¡esa cosa tan simple, señor!† — en este pueblo: de maíz, de centeno,
20 integral, de leche, dulce, salado, con semillas de amapola, de anís, de sésamo . . .), pasteles de manzana, mantequillas, quesos y todo lo que ustedes quieran añadir. Estos alimentos se acarrean de la nevera nutricia a la nevera de mano conforme las exigencias cotidianas.
25 Esto viene a demostrar que el actual aglutinante de la familia yanqui es la nevera — o las neveras — del mismo modo que aún no hace mucho tiempo eran las cocinas de almendrilla o de ovoide, el aglutinante de la familia española. A lo que se ve, el progreso, en este orden de cosas, se caracteriza por una pérdida de temperatura.
30 Hemos derivado del fuego al hielo; un cambio brusco, sin transición. Claro que lo verdaderamente sustancial es que la familia se

---

* **perras gordas** Significa "barato" aquí pero, en su sentido ordinario, quiere decir moneda de diez céntimos.
† **señor** Aquí es una expresión de sorpresa como "¡caramba!".

conserve, importa menos que sea en un frigorífico o que sea al baño María.

Por lo demás, y dado que los alimentos vienen ya condimentados, cuando no hervidos, el horno juega en América un papel 5 fundamental. El ama de casa no tiene sino que calentarlos o terminar de cocerlos. Esto explica el hecho de que las cocinas — eléctricas o de gas — tengan el horno a nivel de la cabeza en vez de tenerlo en bajo. Tardío descubrimiento pero muy práctico. Su utilización es tan frecuente que, de otra manera, el lumbago cau-10 saría en USA verdaderos estragos.

— Entonces — aducirá el lector — esos platos tan sugestivos que vemos en las revistas ¿son una farsa? ¿Una lucubración más o menos abstracta?*

En modo alguno.[14] Sucede, sencillamente, que los platos ameri-15 canos son más espectaculares que eficaces. La cocina americana está muy bien como recreo visual, para comerla con los ojos. La comida americana ha dejado de ser un arte culinario para pasar a ser un arte plástico; tiene mucha vista pero poco paladar.† De ahí que si uno se conforma con[15] ingerirla por los ojos, no se sacia. 20 Mas una vez en la boca, ya es otro cantar. Las viandas comportan esa insulsez, ese registro insípido de lo fabricado en serie,[16] sin personalidad; la huella de la nevera nutricia no es fácil borrarla así pongamos el horno a quinientos grados.

Claro que esto es generalizar y generalizar, en cualquier orden 25 de cosas, es errar. Quiero afirmar que de la misma manera que esto, que, en líneas generales, es cierto, no puede obcecarnos hasta el extremo[17] de negar la evidencia. Así, no es fácil encontrar en la Vieja Europa alimentos tan auténticos y vigorizantes como puedan serlo la leche, el queso, la carne o las frutas americanas. Aparte de 30 que cada americano puede hacer en su casa lo que quiera. Es decir, la insulsez encubierta con salsas multicolores, el barroquismo

---

* ¿Una lucubración más o menos abstracta?   ¿Se exagera lo sabroso que son los platos vistos en las revistas?

† tiene mucha vista pero poco paladar   Por las fotografías, parece bien pero no tiene muy buen sabor.

culinario,* puede ser la tónica de las comidas de restorán, o de un alto porcentaje de norteamericanos, pero no de todos ni mucho menos. En este punto mi experiencia más prolongada me dicta otra cosa: o sea, que hay muchos hogares yanquis donde la sobriedad
5 culinaria no la resta eficacia. El pavo, el pollo, el puerco asado — y asado a fuego lento — con guisantes y puré de patatas, son una cosa suculenta, por la sencilla razón antes apuntada: las carnes de este país dan ciento y raya a[18] otras carnes: son carnes tiernas, sonrosadas, henchidas, que se comen solas. Sin olvidar que, a
10 base de tan excelentes productos, si uno quiere cocinar en su casa a la europea, nadie le va a regatear ese capricho. Lo desazonador, en un ambiente de tantas posibilidades, es la conciencia de que por ingerir un apetitoso estofado, esté uno dejando de ganar un puñado de dólares. Puro materialismo, si se quiere, si bien tampoco
15 vamos a llegar a la estulticia de afirmar que el recreo gastronómico sea un noble indicio de espiritualidad.

Pero lo peor, sin ningún género de dudas, es esta especie de guerra sorda que el americano ha declarado al café exprés, a ese culín[19] de café concentrado, aromático, con el que los europeos
20 acostumbramos a estimular nuestras digestiones. Ya en el barco, rumbo a Nueva York, observé esta anomalía. Si uno pedía café después de comer le servían una auténtica palangana rebosante de un café, bueno probablemente, pero sin torrefactar, diluido, enervado. Otro tanto acontecía en la cena y en el desayuno, pese a
25 que los pasajeros eran italianos en buena parte. De nada sirvió mi mímica implorante, ni mi "litle cofee" reiterado al camarero. Allí no había café exprés y lo único que el viajero consiguió, tras denodados esfuerzos — y ya es algo — fue cambiar de taza;† degustar aquel café en un pocillo pequeñito en lugar de en una
30 bañera.[20] (Esto del café desleido norteamericano obedece a una

* **el barroquismo culinario** "Barroquismo" se refiere a un estilo artístico sumamente ornamentado y aquí se aplica a los platos americanos que por lo visto son muy sabrosos con sus salsas coloradas incontables.
  † **cambiar de taza** En España se sirve el café del desayuno en tazas grandes pero se lo toma en tazitas generalmente después de la comida al día.

razón histórica. Como es sabido, la Guerra de Independencia contra Inglaterra tuvo su motivo inmediato en el impuesto sobre el té. Rotas las hostilidades y sin té en el país hubo que recurrir al sucedáneo: el café ligero. Paulatinamente el sucedáneo se impuso;
5 conquistó el mercado. Hoy el americano consume muchos más litros de café — de "su" café, símbolo, en cierto modo, del nacionalismo — que de té.)

Ya en Washington mi deseo de café exprés derivó en una obsesión. Los primeros días divagaba por las calles de la ciudad como
10 un sonámbulo. Merodeaba por las cafeterías italianas o francesas — "litle cofee, café exprés, míster" — como un pordiosero. Todo en vano. Los gestos de los camareros eran, por otra parte, lo suficientemente elocuentes como para desengañarme de una vez por todas.[21] Allí no había café exprés y ellos no podían pintarlo.[22]
15 Finalmente mis súplicas hallaron un eco y la señora A., compadecida, me tomó una tarde en su coche, atravesamos la ciudad de punta a cabo[23] y nos adentramos en el barrio elegante de Georgetown. Una vez allí, nos apeamos, recorrimos tres callecitas con cierto sabor anglosajón y frente a una casa de tres pisos, de ladrillo
20 rojo, la señora A. se detuvo: "Aquí es" — me dijo —. El corazón me golpeaba con fuerza. La misma casa, sinuosa, con escalones y un patio trasero con un vago aire romántico, aureolaba mi capricho con el incentivo de lo prohibido. (Tenía aquello un aspecto raro, como de fumadero de opio o casa de drogas; un aspecto
25 clandestino y misterioso que es, por lo visto, lo que hoy atrae a las elegantes yanquis.) El caso es que a la pregunta de la señora A. el camarero respondió afirmativamente. "Sí lo tienen" — me dijo —. Y yo hube de sentarme porque las piernas me temblaban. "Un café exprés" — me decía —. "Al fin". Y con el rabillo del ojo[24]
30 observaba las evoluciones del camarero. Y cuando le vi cargar algo en la bandeja y dirigirse hacia mí, la vista se me nubló. Creo que fueron los vapores del café los que ayudaron a recobrarla. Allí, sobre la mesa, tenía, en efecto, un café exprés pero ¡también servido en una bañera! Decididamente en este país tan grande no
35 aciertan a hacer las cosas pequeñas.

MODISMOS

1. **de siempre**   as usual
2. **arrastra fama de comer sobre la marcha**   carries along the reputation of eating on the go
3. **a no pocos**   quite a few
4. **despacharse a su gusto**   enjoy themselves thoroughly
5. **a la europea**   in the European style
6. **por ello**   on account of it
7. **moco de pavo**   trifle
8. **todo a punto o a medio punto**   everything prepared or semi-prepared
9. **en su caso**   whichever may be the case
10. **matices**   subtle flavors. (*The author believes that a well-planned meal does not permit leftovers; the next day new and elaborate preparations will be made.*)
11. **de todo lo dicho**   from all that has been said
12. **por aquello de que**   because of the fact that
13. **un frigorífico de mano**   a refrigerator used daily
14. **En modo alguno.**   Not at all.
15. **se conforma con**   resigns oneself to
16. **lo fabricado en serie**   something mass-produced
17. **hasta el extremo**   to the utmost
18. **dan ciento y raya a**   surpass
19. **culín**   culinary delight
20. **un pocillo pequeñito en lugar de en una bañera**   *Delibes received coffee in a very small cup instead of a large one* (*literally*, a bathtub).
21. **de una vez por todas**   once and for all
22. **no podían pintarlo**   could not show it, could not turn it out
23. **de punta a cabo**   from one end to the other
24. **con el rabillo del ojo**   out of the corner of my eye

EJERCICIOS

I. *Contestar:*

1. ¿Cómo se difiere el enfoque de comer en Europa y en USA?
2. Describa Vd. las tres comidas diarias en USA. ¿Qué ventaja tiene esta rutina gastronómica?
3. ¿Qué significa *la comida al día*?
4. ¿Cuáles son las circunstancias que invitan a una comida improvisada?
5. ¿Cuánto tiempo pasa generalmente la española en la cocina todos los días?
6. ¿Qué les brinda el supermercado a sus clientes?
7. ¿Qué facilita un recalentamiento o un asado? Concluida la comida, ¿a dónde irá?
8. ¿Gasta mucho el norteamericano para acallar el hambre?
9. ¿Qué importancia tiene la nevera americana?
10. Explicar la diferencia entre el empleo del frigorífico de mano y la nevera nutricia.
11. Enumerar las distintas variantes que adopta el pan.
12. ¿Qué sirve como el actual aglutinante de la familia yanqui? Hace poco tiempo, ¿qué servía en España como el actual aglutinante de la familia?
13. ¿Por qué juega el horno un papel fundamental en USA?
14. ¿Por qué ha dejado de ser la comida americana un arte culinario?
15. ¿Qué sabor comportan las viandas?
16. ¿Cómo son las carnes norteamericanas?
17. ¿Por qué atribuyó Delibes la calidad desazonadora de un plato a puro materialismo?
18. ¿Cómo describió Delibes el café estadounidense?
19. En rumbo a América, ¿qué le acontecía al autor cuando pedía café exprés?
20. ¿Cómo conquistó el café ligero el mercado norteamericano?
21. ¿Por qué dijo Delibes que merodeaba por la ciudad de Washington como un pordiosero?

22. Describa Vd. la casa en Georgetown donde le servían café exprés al autor.
23. Mientras que esperaba el café exprés, ¿cómo reaccionaba Delibes a todos los preparativos?
24. ¿Cómo fue servido el café exprés?

II. *Escribir en español:*

The European lives in order to eat and the American eats only to live. The European therefore spends many hours preparing succulent foods with seasonings, while the American spends few hours preparing an improvised meal that has a flat taste. The European goes to the market every day to buy meats like chicken, pork, or sirloin, or to buy his bread, potatoes, peas, lettuce, fruits, cheese, tomatoes, onions, olive oil; but the American generally goes to the supermarket once or twice a week to buy cooked ham, legs of lamb, a thousand and one varieties of bread, apple pies, etc. Many times the foods are already seasoned so that the housewife has nothing to do but heat them or finish cooking them on the stove or in the oven. There are enormous freezers for the foods that will be served according to daily needs.

The European housewife often has domestic help but there is almost a total absence of such help in the USA. To help the American housewife, therefore, foods bought at supermarkets are frequently half-prepared. Potatoes are half-fried; macaroni is already cooked; steaks are wrapped in butter and cellophane paper. One may even buy dehydrated mashed potatoes. It is not necessary to peel potatoes, to remove chicken feathers, to chop an onion, to heat the oil, and to do the many other things that require long hours of work in a Spanish kitchen.

Although American foods are delicious, especially the meats, housewives as well as restaurants serve them with multicolored sauces. The American meal is a plastic art and not a culinary one. On the contrary, in Spain an appetizing stew is a culinary art. The main meal is prepared with great care. Even in eating, the Spaniard wants to affirm a noble sense of life.

XII
UNIVERSIDADES DE CAMPO

Y vamos con la enseñanza de los mayorcitos, de los adultos, re-
partida entre más de un millar de Colleges y Universidades. Pero
¡qué Colleges y qué Universidades, Señor mío![1] Ya el montaje de
los mismos, la escenografía, es una invitación al vals; quiero decir,
5 al estudio. Las Universidades y Colleges norteamericanos, en su
disposición topográfica, a lo que más se asemejan es a la Ciudad
Universitaria de Madrid sólo que con mejores céspedes en los
espacios libres y más gótico inglés en sus edificios. Pretendo afirmar
que la Universidad yanqui huye del hacinamiento. Cada edificio
10 — un soberbio edificio — tiene verde alrededor. Un aula para
diez o quince alumnos. Pero ¿tan pocos alumnos hay? No, por
supuesto, alumnos hay muchísimos, infinitos — sólo en Maryland, 22.000 — lo que sucede es que hay tantos profesores como el
alumno requiere. El profesor no se nombra para una disciplina*
15 sino para quince alumnos; ésta es la diferencia. (Aunque haya
excepciones, naturalmente.)

La Universidad americana está construida para estudiar y para
respirar; no es sólo, pues, el "alma mater" sino el "cuerpo pater".

* **disciplina** es decir, unas asignaturas en cierta categoría o especialización
académica.

Las instalaciones deportivas junto al vergel que las envuelve — el "campus" — ocupan muchas hectáreas. En la Universidad de Illinois hay un estadio capaz para[2] 70.000 almas; en la de Maryland, otro, cubierto, para más de 14.000. Los clubs para estu-
5 diantes, las residencias, los apartamentos para alumnos casados, los teatros universitarios, las cafeterías, los restoranes, constituyen auténticos locales de lujo. Y ¿qué decir de los medios? En este apartado[3] son tantas las cosas que sorprenden al viajero que si éste se obstina en enumerarlas todas, corre el riesgo de no poner
10 nunca punto final.[4] Bastará decir que los laboratorios, quirófanos, bibliotecas, salas magnetofónicas para el estudio de idiomas, etc., etc., son muchos, magníficos y dotados de todo lo necesario y aun de lo que no lo es. Este país, a la hora de enseñar no regatea la munición. Sabe que su cultura, su estabilidad política y su pros-
15 peridad salen de ahí y no llora las inversiones. El profesor dispone de todo en mejor servicio del alumno. Hace, vaya,[5] lo que nosotros con el turismo: al universitario le mima. Lo que sucede es que nosotros tenemos prisa. Y si el turismo nos deja los dólares al verano que viene, ¿para qué invertir dinero en la Universidad que
20 renta a un plazo más largo? No sé, tal vez sea una razón pero uno cree que en estos asuntos bien vale la pena aguardar un poco.

Por supuesto nada de esto quiere decir que, en términos generales, la ilustración del yanqui sea superior a la ilustración del español (hablo de los que pasan por las Universidades). Hay cosas
25 que nosotros aprendemos en un bachillerato rígido, muy apretado, y que el universitario yanqui — por mor de[6] la especialización — no tendrá oportunidad de saber nunca: tal, quién fue Cervantes,* quiénes fueron los normandos† o qué significó el Tratado de Tordesillas.‡ Ésta es la gran pega de la elasticidad de la educa-

---

* **Cervantes**   Miguel de Cervantes Saavedra, autor famoso de *Don Quixote de la Mancha.*

† **normandos**   habitantes de Normandía, una provincia anciana de Francia cerca de la Mancha (*English Channel*).

‡ **Tratado de Tordesillas**   firmado el 7 de junio de 1494, con el propósito de resolver el conflicto entre España y Portugal sobre la posesión de tierras descubiertas por estos países en el Nuevo Mundo.

ción yanqui: salen de ella grandes cerebros pero desequilibrados,
impuestos en su materia y casi totalmente ayunos en cultura
general. (Claro que tampoco debemos hacernos demasiadas
ilusiones respecto a lo que nuestros científicos conocen de letras y
5 nuestros humanistas de Ciencias. Ahora, si nos guiamos por las
estadísticas — a las que USA es tan aficionado y que tan alec-
cionadoras suelen resultar — llegaremos a la conclusión de que el
universitario español tiene, al concluir sus estudios, una formación más armónica y ponderada que el yanqui. Mas no olvidemos
10 que en España el universitario es un privilegiado — la excepción
— y en América, el licenciado* en cualquier disciplina, es un
producto más de la serie, de la cadena que es la divisa del país. Así,
son millares los licenciados que salen de las universidades norteamericanas cada año y entre ellos, sin duda, muchas medianías.
15 Pero, en realidad, esto no importa; la vida y la sociedad se en-
cargarán, no tardando,[7] de hacer la selección. Quedará siempre por
ver[8] el nivel cultural que alcanzarían nuestros templos universitarios — económicamente desasistidos y que consiguen tanto con
tan poco — el día que se les dotase de los instrumentos adecuados
20 para desarrollar, sin trabas, su misión pedagógica. No olvidemos
cuántos son los médicos y científicos españoles — y europeos en
general — que han "terminado de hacerse"[9] en América porque en
su patria no podían materialmente avanzar un paso más. Severo
Ochoa† es un claro y reciente ejemplo.
25   Bueno, y el hecho de que en América los universitarios se
cuenten por millones, se produzcan en serie ¿quiere decir que la
enseñanza en este país se regala? Pues claro que no. La Universidad americana no es un obsequio; cuesta dinero; a menudo
mucho dinero; excepcionalmente, muchísimo dinero. Pues en-
30 tonces, se argüirá, también la enseñanza en América es para
privilegiados. Puestas así las cosas[10] habrá que admitir que esto es
cierto; mejor dicho, lo es y no lo es. Expliquémonos. En USA hay

---

* **licenciado**   uno que ha recibido su título universitario en cierta disciplina.
† **Severo Ochoa**   bioquímico, nacido en España (1905), ciudadano norteamericano (1956), recipiente del Premio Nobel de Medicina en 1959.

universidades de los respectivos Estados y Universidades particulares de todo aquel grupo o institución que quiera crearlas, sin más que una aprobación posterior por parte de una Junta Inspectora. Las estatales son más baratas que las libres pero cuestan también
5 dinero. Lo que sucede es que el dinero que una Universidad cuesta está al alcance del 70% de los americanos — y para ello ahorran desde que los niños nacen. Un juego de becas — las oficiales muy cortas, insuficientes; las de fundaciones más pingües — ayudan a otros que no disponen de esos fondos. Por último — y aquí reside
10 la gran ventaja que deriva de la organización y la prosperidad yanquis — existe la posibilidad de ganarse la ración diaria de Universidad — como la de pan — con el sudor de la frente. Y esto es lo que hacen no pocos americanos: trabajar hoy con las manos para poder trabajar mañana con la cabeza. (Una alumna mía
15 dedicaba dos horas diarias a la Biblioteca de la Facultad; otro, trabajaba los sábados en un banco; un tercero, hacía de camarero en el restorán.) Todo esto quiere decir que la enseñanza en América es también para privilegiados pero con la particularidad de que el que no es privilegiado por su casa — la mayoría — o por su beca,
20 puede acceder al privilegio — con lo que automáticamente deja de ser tal — con solo proponérselo y echar una mano aquí o allá.

Desde este punto de vista, la enseñanza es masiva en Norteamérica; no queda reducida a un pequeño grupo. Y esta democratización alcanza asimismo a las materias que constituyen su objeto.
25 Todo lo que requiere un poco de cabeza se "universitariza" aquí: labrar el campo, hacer un periódico, vender telas o dirigir una casa. La labranza, el periodismo, el comercio y la economía doméstica constituyen en no pocas Universidades otros tantos títulos facultativos. (Y al hablar del campo no me refiero al in-
30 geniero agrónomo sino al que cultiva aquél, es decir, al campesino propiamente dicho.[11]) Los títulos, no sirven sino para acreditar unos conocimientos, aunque es evidente que esos conocimientos pueden ser más o menos intelectuales. Una licenciatura, en suma, no otorga, sin más, este título — al de intelectual me refiero.
35 Esta orientación democrática de la enseñanza, unida al hecho

de que el alumno pague unas cifras elevadas por su educación universitaria, comporta una serie de derechos en favor del estudiante que al europeo recién llegado le dejan patidifuso. El estudiante americano — como el cliente europeo — siempre — o
5 casi siempre — tiene razón. Y si no la tiene tendrán que decírselo desde muy alto[12] para acallarle a más de demostrarle — ejercicios en mano — que no merece el aprobado. El alumno, en todo caso, puede recurrir al decano, al jefe del departamento o al director de la Universidad. Y sin necesidad de recurrir a nadie podrá presen-
10 tarse en clase en "Bermudas" y camisa de manga corta mientras el profesor, por ninguna circunstancia, deberá prescindir de la embarazosa corbata. No hay que decir que el alumno, que ha llegado a la Universidad a aprender, interrumpe al profesor cuantas veces le viene en gana,[13] solicita la ampliación de un punto
15 determinado de su discurso, o le visita en su despacho durante las horas de consulta, obligatorias en todos los Centros. De este modo, como los grupos son familiares — doce o quince, motivo por el que las aulas de las Universidades americanas sorprenden por su pequeñez y su absoluta falta de solemnidad aparte de por no
20 cerrar jamás la puerta, extraña costumbre establecida tal vez porque en los pasillos reina una cívica disciplina — se origina de entrada un clima de confianza que se amplía fuera de las aulas en comidas de confraternidad promovidas por el profesor o por los alumnos indistintamente o, mejor, alternativamente.
25 En la Universidad, como fuera de ella, al americano no se le ciñe mucho. En toda actividad existe aquí un margen de libertad bastante amplio. Por ejemplo, en las carreras hay unas cuantas asignaturas de estudio inexcusable pero también hay otras voluntarias, entre las que se puede optar. De este modo, el alumno se va
30 especializando — dentro ya de su especialidad — desde que comienza la carrera. Elige no sólo ésta sino las asignaturas que van a componerla. Cada estudiante arma, pues, su propia carrera de acuerdo con sus aficiones y sus proyectos para el futuro. Y una vez graduado — licenciado — abordará el doctorado no a base de
35 libros sino a base de cursos; no aprobando asignaturas, sino

acumulando horas. (Esto de los cursos y las horas es un poco complicado. Cada semestre — en esto nos parecemos mucho unos a otros; los americanos tienen semestres de cuatro meses y nosotros trimestres de dos — la Universidad organiza una serie de cursos
5 sobre los temas más diversos. Por ejemplo, si se trata de literatura española, pueden coexistir cursos tan varios como los siguientes: La Celestina, la Novela Picaresca, Galdós, la Generación del 98 y Poesía de postguerra. Los graduados se matricularán en unos u otros según sus preferencias. Un examen final — más los ejercicios
10 realizados durante el semestre — determinará su calificación, bien entendido que el graduado que aspira a doctor no conseguirá su objetivo sin una media de B, es decir, de notable.* Esto significa que aquí — en el doctorado — el aprobado no aprueba; no sirve, a no ser que la C — aprobado — de un curso se sume a la A —
15 sobresaliente — de otro, en cuyo caso la media será suficiente para que ambos se contabilicen. Y esto de contabilizar los cursos no es un decir: la B conseguida implica que el curso es válido y, en este caso, el graduado puede sumar una hora — o el tiempo que sea — a las que ya tenga hasta lograr las doce, o las catorce, o las que
20 se exijan para dar por terminada la preparación antes de redactar la tesis, broche final de los estudios universitarios.)

Generalmente, los graduados alternan sus cursos de doctorandos con la actividad profesoral; esto es, aprenden y enseñan simultáneamente. Gastan dinero por un lado y empiezan a embolsarlo por
25 otro. Se inicia así un ascenso dentro del magisterio universitario que si penoso no deja de ser razonable. He aquí, salvo error u omisión, y de abajo arriba, las categorías profesorales dentro de la Universidad americana: Graduate Assistant, Part Time Instructor, Full Time Instructor, Assistant Professor, Associate
30 Professor y Full Professor. Esta escala implica una jerarquía y una distinta asignación que puede oscilar entre los 2.000 dólares anuales y los 15.000, esto es, entre las 120 y las 900.000 pesetas. Bien entendido que esto no es un tope. La ventaja de las Universi-

---

* **de notable** De ordinario en España existen las calificaciones siguientes: sobresaliente (A), notable (B), aprobado (C), suspendido (F).

dades americanas — y de sus profesores — estriba en la posibilidad de seleccionar su personal cada año y de modificar las retri-
buciones de acuerdo con su categoría (no la categoría profesional,
sino la intelectual probada). Esto permite que el profesor ameri-
5 cano puede estar ascendiendo continuamente. Opera aquí, como
en el fútbol, el procedimiento de los fichajes. Cabe, por tanto, el
descubrimiento: el mirlo blanco, perdido en una Universidad gris*
puede ser elevado al rango de Full Professor en una prestigiosa
Universidad y pasar de 8.000 a 15.000 dólares de la noche a la ma-
10 ñana. Esta fórmula, no cabe duda, es un estímulo. Aquí, camarón
que se duerme se lo lleva la corriente.[14] La gente pone, pues, buen
cuidado en no dormirse, sino al contrario, de mantenerse en
plena forma, de ampliar sus estudios, de publicar trabajos, de
investigar . . .
15   Las posibilidades de mejorar en todos los órdenes, son, como
hemos dicho, infinitas y no es fácil que nadie se avenga, delibe-
radamente, a desdeñarlas.

MODISMOS

1. **Señor mío**   my heavens!
2. **capaz para**   with room for
3. **en este apartado**   in this matter
4. **de no poner nunca punto final**   of never finishing
5. **vaya**   let's say, if you will
6. **por mor de**   because of
7. **no tardando**   without delay
8. **quedará siempre por ver**   it will always remain to be seen
9. **"terminado de hacerse"**   "ended up advancing their careers"
10. **puestas así las cosas**   expressed in this way
11. **propiamente dicho**   properly speaking

* **el mirlo blanco, perdido en una Universidad gris**   El pájaro negro aquí se
refiere a un profesor poco conocido en una universidad gris (de menos categoría) que puede ganar más prestigio o rango si publica o hace investigaciones.

12. **desde muy alto**   from high administrative circles
13. **le viene en gana**   as he wants to
14. **camarón que se duerme se lo lleva la corriente**   the professor who lacks ambition is carried along with the tide

EJERCICIOS

I. *Contestar:*

1. ¿En qué sentido se asemejan las universidades norteamericanas a la Ciudad Universitaria de Madrid? ¿En qué sentido se difieren?
2. ¿Para qué se nombra un profesor universitario en USA? ¿en España?
3. Enumerar los locales que se encuentran en una ciudad universitaria de USA.
4. ¿Por qué no vacilan las universidades norteamericanas en hacer muchas inversiones por la instrucción?
5. ¿Qué critica el autor con respecto al turismo y la universidad en España?
6. ¿Cómo se difiere la formación universitaria en España y en los Estados Unidos?
7. ¿Cómo se difieren el universitario en España y el licenciado en América?
8. ¿Cómo se explica lo costoso de la enseñanza? ¿Cómo se explica la matrícula de muchos universitarios a pesar de la instrucción costosa?
9. ¿Cómo pagan los estudiantes sus cursos, sus comidas, sus residencias?
10. Enumerar los derechos estudiantiles que le dejan patidifuso al europeo recién llegado a USA.
11. ¿Qué opinó Delibes sobre la jerarquía catedrática?
12. ¿En qué estriba la ventaja de las universidades americanas y de sus profesores?
13. ¿Cómo se determina la categoría de cualquier profesor?

II. *Señalar las ventajas y las desventajas del sistema educativo en USA. ¿Qué impresión general ha adquirido Vd. sobre el sistema educativo español?*

III. *Escribir en español:*

A. In some ways American campuses resemble the University of Madrid campus. There are the same beautiful lawns and free spaces between buildings. In Madrid the buildings are made of brick; in the United States buildings are made of brick, stone, or wood.

There are differences in life on American and Spanish campuses. In the USA, the greater part of the students live in dormitories, apartments for married couples, or houses close to the campus. They not only attend classes on the campus but have their meals and recreation there. There are many restaurants and cafeterias, clubs, theaters, and large stadiums. There are many luxuries like television in huge living rooms and magnificent libraries, where the students obtain books that they may take home to read. There are language laboratories, science laboratories, and operating rooms. Not all the students who attend the universities are rich. Many work in restaurants, factories, banks, or offices to earn funds. Some receive scholarships. The state universities are more economical than private ones, but it nevertheless costs a great deal of money to attend.

Generally, students take fifteen hours of courses per semester in order to receive their credits for degrees. The classes in some courses are enormous. For example, there are often two hundred to three hundred students in a science lecture hall. In a language laboratory there are not usually so many. Students prefer smaller classes that permit questions and discussions.

It is important in the United States for the professor to have the opportunity to know his students socially and academically. Professors receive invitations to visit clubs and they also invite students to their homes.

B. In Spain there is a very formal respect between professors and students in the lecture halls. When the professor enters, students often stand up to show him respect. They sit down only after the professor greets them. They have to listen to him for an hour without interrupting him. It is rare for a student to know his professor socially. The majority of students live(s) in boarding houses, homes, or university dormitories like those in Madrid.

Spanish students must take difficult final examinations and the results of those examinations will determine their grades for the courses. On the contrary, American students take a final examination, and it plus other assignments determine whether they will obtain a grade of A, B, C, or F.

According to Delibes, there is more specialization in the United States than in Spain, and consequently the American student does not have the same opportunity to become well-acquainted with general culture in letters and sciences. His studies in his subject are excellent but he does not have the same harmonious and thoughtful training that the Spaniard has. However, there are more careers open to him, such as Journalism, Home Economics, Business, and Agriculture. Spanish students are the privileged ones of their country. It is almost impossible for them to work and to study too.

XIII
CONFIANZA EN EL HOMBRE

El lector que me haya seguido hasta aquí, habrá advertido que
este país ofrece una faz muy compleja, donde las virtudes y los
defectos — a veces uno no llega a discernir dónde terminan
aquéllas y empiezan éstos — se enredan en una madeja inextri-
5 cable. El viajero cree, sin embargo, que en contra de lo que es
frecuente escuchar, en USA, pese a la uniformidad un tanto gregaria de su sociedad, cada ciudadano tiene plena conciencia de sus
derechos y de sus posibilidades. Quiero insinuar que la masificación de esta sociedad no anula el ejercicio de las acciones indi-
10 viduales. A este respecto el norteamericano tiene no sólo el
derecho de elegir sus representantes en el Senado y en el Congreso,
sino a moverlos. Aun no hace mucho tiempo un vecino del pue-
blecito de Washington, en Virginia (en este país la repetición de
nombres de pueblos y ciudades es verdaderamente delirante,
15 fenómeno explicado por el hecho de que la penetración hacia el
Oeste de grupos desconectados entre sí y la consiguiente fundación
de poblados, les inducía a bautizar éstos con nombres significa-
tivos o simplemente que les caían simpáticos[1]), solicitó del Congreso el cambio de nombre no de su pueblo — que, al parecer, era
20 el Washington más antiguo — sino el de Washington, D.C., la

capital federal. El Congreso — y la prensa — acogió su sugerencia aunque para, en última instancia, desestimarla. Esto significa que aquí un hombre es un hombre y, en contra de las apariencias, no un cero a la izquierda.[2] Claro está que esta consideración impulsa a
5 veces a la puerilidad como en el caso anteriormente reseñado.

En Estados Unidos, todo hay que decirlo, se parte de una base substantiva en la educación; a saber que un hombre, conforme a la Constitución, es un ser con un repertorio de derechos que, en toda circunstancia, está obligado a respetar el repertorio de dere-
10 chos de su vecino de mesa. El concepto de comunidad, y todo su cortejo de virtudes cívicas se graba a fuego[3] en el niño desde la primera infancia.[4] El respeto a la ley, a las instituciones, a los con-ciudadanos, y hasta al césped es algo que nace y se desarrolla con la persona. De esto deriva un muy arraigado sentido de la educa-
15 ción ciudadana que se manifiesta en actitudes incomprensibles para el latino, aun para el latino menos influido por la picaresca* que ciertamente, son muy pocos.

Analicemos, por ejemplo, la reacción del americano ante el fenómeno fiscal. Ningún yanqui-yanqui,† esto es, el yanqui de al
20 menos un par de generaciones en el país, admitirá la posibilidad de defraudar a la Hacienda Pública. Y no es que no lo admita; es que no se le pasa por la imaginación[5] hacerlo, como no se le pasa por la imaginación depositar un redondel de hojalata, o una chapa de Coca-Cola en lugar de una moneda de veinticinco centavos o de
25 cincuenta en un control de peaje sin vigilancia.[6] Tal vez el ameri-cano — y sin tal vez — es menos imaginativo que el latino, pero también, ante la comunidad, se muestra más comprensivo, más consciente y más serio. "Al que tal hiciera — defraudar al fisco — se le consideraría un canalla" — me decía un amigo inteligente.

---

* **la picaresca** Aquí se refiere al espíritu vivaz y atrevido del latino. A partir del siglo 16, se encuentra un género novelesco que se llama "picaresco".

† **yanqui-yanqui** A Delibes como a muchos visitantes en USA, esta palabra se refiere a cualquier estadounidense. Aquí tiene un sentido todavía más fuerte; es decir, un hombre cuya familia llegó al Nuevo Mundo hace muchas generaciones.

El americano paga, pues, sus impuestos — sumamente elevados
— sin irritarse y sin vacilar. Claro es que existe otro aspecto a
considerar y es la buena marcha de la cosa pública: el ciudadano
advierte que no faltan escuelas, que están perfectamente dotadas
5 de material, que en todas las esquinas se alzan bibliotecas, que se
pueden recorrer veinte mil kilómetros de carretera sin encontrar
un solo bache, que las Universidades estatales realizan constantes
esfuerzos de renovación y ampliación, que el ritmo de la construcción de puentes, canales, aeropuertos y otras obras públicas
10 aumenta cada año, etc., etc. Al entregar su dinero, el americano
tiene, pues, la sensación de que delega la administración de una
parte de sus ingresos; o sea que le descargan de un trabajo. El
rendimiento de su dinero lo tiene bien a la vista; los descuentos de
su soldada están justificados de una manera visible, con fre-
15 cuencia espectacularmente visible. (Queda por ver si esta aplicación utilitaria de la contribución es anterior al pago puntual y
exacto de los impuestos o, por el contrario, una consecuencia de
ello.)
Esta actitud del contribuyente americano no es más que un
20 síntoma. Durante mi estancia en Maryland he podido observar
otras manifestaciones parejas de educación cívica, verbigracia, los
exámenes sin control.
— ¿Sin vigilancia del profesor, quiere decir?
— Eso.
25 — Y ¿cómo es posible tal cosa? ¿Es que los chicos son bobos?
Simplemente porque lo mismo que al contribuyente no se le
pasa por la imaginación escamotear una parte de sus ingresos, al
examinando no se le pasa por la imaginación consultar el libro de
texto o demandar el auxilio de un compañero. En Norteamérica
30 esto está muy mal visto; se considera juego sucio. Al que incurre
en una falta de este tipo se le abre expediente e, incluso, se le
expulsa de la Universidad. En España se considera falta de compañerismo negar una "chuleta"[7] al compañero indefenso, ayuno.
En Estados Unidos el que quebranta las nobles normas del
35 compañerismo es el que pide la "chuleta", la fórmula o la información. Este tal[8] sería un mal compañero y, por consiguiente, un

universitario indigno. Dos enfoques diametralmente opuestos,
como se ve.

— Pero estos tipos son muy aburridos. Le quita usted a la vida
estas picardías y es como si le quitase la guindilla a las angulas;[9]
5 una cosa insípida.

Puede ser. Para el latino recortar la ley o saltarse a la torera un
reglamento[10] constituye una diversión; un incentivo. Burlar al
inspector o al profesor es casi tan sugestivo como ahorrarse unas
pesetas o aprobar una asignatura. Pero lo cierto es que caminando
10 por su camino — aburrido o no — los yanquis han llegado a un
punto muy importante, esto es, a tener confianza en el hombre y,
en consecuencia, a la posibilidad de suprimir el control.

Durante unas semanas he convivido con el matrimonio Ament,
en Washington. Sterling Ament es un notable físico matemático.
15 Durante días — y noches enteras — le he visto enredado en fór-
mulas cabalísticas, absorto, completamente ajeno a lo que le
rodeaba. ¿Qué hacía Mr. Ament? Concretamente: pensar para
el Gobierno. ¿Pensar? Exactamente, pensar. Por pensar cobra y
de pensar vive. Y, por supuesto, pensar puede hacerlo en la oficina,
20 en su casa o en el autobús. El Gobierno no le exige que piense en
un determinado lugar, ni un número concreto de horas al día.
Tan sólo le pide que piense en una especie de teoría — de antemano pido perdón a los físicos y matemáticos que me lean por mi
vaga información — sobre dispersión astral y que la sistematice y
25 formule. Por supuesto, esta dedicación puede llevarle al doctor
Ament a Estocolmo a recibir el Premio Nobel o puede no con-
ducirle a nada positivo. Mas en este caso — el peor de los casos
—alguien recogerá su herencia y avanzará otro paso.[11] De este
modo, no cabe duda, un país puede llegar a grandes cosas. Mas
30 para ello se precisa un firme punto de partida: la confianza en
el hombre. Porque uno se pregunta: ¿Estamos nosotros en condiciones de cobrar por pensar? ¿Qué latino nacido de madre no
pensaría antes que en la dispersión astral — con perdón, otra vez
— en la manera más divertida y provechosa de invertir el dinero
35 que el gobierno le "regala"?

Éste, por sabido, no es un caso aislado. A mi paso[12] por la

Universidad de Yale, en contacto con el simpático grupo de español, capitaneado por Manolo Durán, visité los laboratorios del médico español, José M.ª R. Delgado, radicados en la misma Universidad. Pues bien, el doctor Delgado, natural de Ronda,*

5 ha encontrado en Yale lo que su tierra le negaba: monos. El doctor Delgado necesitaba monos, muchos monos, una legión de monos, para trabajar en la localización y estímulo de los centros nerviosos mediante electrodos. Lo conseguido por el doctor Delgado en Yale es literalmente estremecedor. El hallazgo de centros nerviosos

10 como el de la felicidad, el de la agresividad, etc., y su posible control, le asusta a uno y le deja perplejo, pero no por ello deja de advertir las enormes posibilidades científicas que de ello derivan. (El mico en estado de felicidad, desdeña el más jugoso coco o la monita más atractiva. No los necesita. Le basta con sus electrodos.

15 El toro lanzado furiosamente sobre el torero, frena en seco[13] y retorna, manso como una oveja, al corral, tan pronto recibe a través de los electrodos la orden de detenerse. Tal control, parece ser, se ejercerá un día por radio con lo que se podría llegar a enervar a los animales más feroces y a los hombres más agresivos.

20 Otras experiencias de este tipo demuestran que existe la posibilidad de despertar en los solterones la convicción de que el matrimonio es el estado perfecto, convicción que, seguramente, remediaría muchas cosas. En fin, uno prefiere no pensar en esto, lo que equivale a decir que admira a los hombres como el doctor Delgado

25 inmersos en estos problemas y que en pocos años han llegado a conclusiones tan concretas como asombrosas.)

Pero a lo que íbamos:[14] ¿Qué Universidad de España está en condiciones de facilitar monos a los doctores Delgado del país, si tenemos en cuenta[15] que un chimpancé cuesta alrededor de 800

30 dólares, es decir, 50.000 pesetas en números redondos? ¿De dónde van a sacar las Universidades españolas esos fondos, por no hablar de [16] los necesarios para montar los laboratorios anejos y los aparatos de precisión que verifican el control de los animales sometidos a experiencia? En España solemos decir que el que

* **Ronda**   un pueblo de Andalucía, en el sur de España.

quiera divertirse que se compre[17] un mono, pero se da por supuesto[18] que el mono ha de pagarlo el que se quiere divertir de su bolsillo o, a lo sumo, su padre. De otro modo, la diversión se evapora. De aquí, que los doctores Delgado se nos vayan a
5 Estados Unidos. Norteamérica no regatea monos a los doctores Delgado porque Norteamérica no sólo es rica por su casa sino que tiene confianza en el hombre . . . aunque este hombre sea latino. (No hay que aclarar que los científicos que se congregan hoy en USA provienen de todos los países de los cinco continentes. Una
10 ley informulada demuestra que hasta el hombre más inculto y modesto tiende no sólo a mejorar de condición sino a buscar los medios de trabajo más adecuados. Así, el peón andaluz sube a Castilla; el castellano se llega a Bilbao;* el obrero especializado vasco marcha a Alemania y el técnico o científico germano se van
15 a Estados Unidos.) Imagino análogo el proceso en la otra mitad del mundo con la diferencia de que la última etapa en este caso será Moscú. De esta manera — facilitando monos a quienes los necesitan — Washington y Moscú, o Norteamérica y Rusia, o USA y la URSS no sólo aprovechan sus talentos sino los talentos
20 ajenos, absorción que justifica el que la ventaja técnico-científica de estos dos colosos sobre el resto de los países se acentúe de día en día, le guste o no esta perspectiva al general De Gaulle.

Pero me decía la señora A., y no le falta razón, que esto de[19] dar monos — y todo lo que los monos arrastran tras ellos — al que
25 los necesita es un lujo muy caro, un lujo que, como todos los lujos, está al alcance de muy pocos. Esto es cierto, y de otro lado los pueblos pobres que ponen el grito en el cielo ante una eventual evasión de capitales, parece que aceptan con indiferencia esta progresiva evasión de talentos, tal vez porque sus dirigentes no
30 advierten — otra vez por aquello del largo plazo — que un talento no sólo es un capital en potencia sino un proyecto de prestigio nacional. Seguramente todo esto podría arreglarse con la creación de una especie de ONU† de la investigación donde los talentos de

---

* **Bilbao**   una ciudad industrial en el norte de España.
† **ONU**   Organización de las Naciones Unidas.

los países sin monos — o que no puedan costearles — encontrasen estos monos que precisan para sus trabajos sin necesidad de renunciar a su patria y a otras muchas cosas. Claro que esto, como ya he dicho, es una cuestión de confianza en el hombre que
5 Norteamérica tiene resuelta pero que la presunta ONU de la investigación tendría, como primera medida, que resolver.

MODISMOS

1. **que les caían simpáticos**   that pleased them
2. **no un cero a la izquierda**   not a person of no account
3. **se graba a fuego**   is indelibly engraved
4. **desde la primera infancia**   from the earliest childhood
5. **no se le pasa por la imaginación**   it doesn't occur to him, it doesn't enter his mind
6. **un control de peaje sin vigilancia**   an unmanned toll booth
7. **"chuleta"**   *coll.* "pony," "crib"
8. **este tal**   this fellow
9. **Le quita usted a la vida estas picardías y es como si le quitase la guindilla a las angulas**   You take these little schemings from life and it is as if you took bait away from a young eel
10. **recortar la ley o saltarse a la torera un reglamento**   to dodge the law or to break a rule
11. **alguien recogerá su herencia y avanzará otro paso**   someone will take up where he left off and will advance another step
12. **a mi paso**   on my way
13. **frena en seco**   stops short *or* suddenly
14. **Pero a lo que íbamos**   But let's return to what we were discussing
15. **si tenemos en cuenta**   if we bear in mind, if we take into account
16. **por no hablar de**   let alone
17. **que se compre**   let him buy
18. **se da por supuesto**   it is taken for granted
19. **esto de**   this matter of

EJERCICIOS

I. *Contestar:*

1. ¿Qué enseña la faz compleja de USA?
2. Con respecto a sus representantes en el Senado, ¿qué son los derechos del norteamericano?
3. ¿Qué solicitó del Congreso un vecino de Washington, Virginia? ¿Por qué le llamó la atención a Delibes aquel episodio?
4. ¿Qué se graba a fuego en el niño norteamericano?
5. Analice Vd. la actitud del norteamericano hacia el pago de impuestos fiscales. ¿Qué opina el ciudadano norteamericano de la posibilidad de defraudar a la Hacienda Pública?
6. ¿Para qué sirve el dinero entregado al fisco?
7. ¿Qué significa "exámenes sin control"? ¿Por qué le llamaron la atención al autor?
8. ¿Cómo se explicaron los enfoques españoles y norteamericanos hacia las normas universitarias del compañerismo?
9. Explique Vd. la actitud del español hacia sus picardías.
10. ¿Qué ventaja tiene el camino norteamericano con sus normas más rigorosas?
11. ¿Cúal es la carrera de Sterling Ament? ¿Pará qué le paga el gobierno estadounidense? ¿Qué se precisa para dar tanta libertad al individuo?
12. Explique Vd. la naturaleza de las investigaciones científicas del doctor Delgado.
13. Describa Vd. las experiencias con el mico y el toro.
14. ¿De qué carecen las universidades españolas?
15. ¿Qué demuestra una ley informulada? Citar unos ejemplos.
16. Hoy día, ¿qué importancia tiene un talento?
17. ¿Por qué propuso Delibes la creación de una especie de ONU de la investigación?

II. *Discutir las ventajas y las desventajas de los exámenes sin control.*

III. *Citar unos ejemplos de la confianza en el hombre que Vd. ha observado en USA. ¿Se puede relacionar las rebeliones estudiantiles con el concepto de confianza en el hombre?*

IV. *Escribir en español:*

The individual citizen of the United States is fully aware of his rights and possibilities in a mass society. This idea seems very complicated to foreigners. On the one hand, one sees a gregarious uniformity in living, thinking, and doing; on the other hand, one observes Americans electing their Congressional representatives, whose function is to work for the good of all. However, if they defraud the National Treasury, or do not have public works realized with the taxes which individuals pay from their incomes, they are exposed publicly. Generally, the American pays his high taxes unhesitatingly because he sees their utilitarian application in the construction of many kilometers of new highways, the renovation and amplification of canals, bridges, airports, libraries, schools, and state universities.

To ask for help during a university examination is very badly regarded in the United States. The students who do this are often expelled from the university. However, in some other parts of the world, students have a diametrically opposed viewpoint. The companion who would not offer help would be a boring, unworthy companion. Since professors know what these students think, they increase rather than suppress control of examinations.

For scientific experiments, American universities and the American government offer laboratories and precision apparatus to scientists. Of course, the United States is a rich country and can give these luxuries to its scientists. Indeed, other nations lose good scientists because they come to the United States to live, to become citizens, and to work on their experiments.

XIV

LA LIBERTAD

El orgullo de todo americano es la Libertad, así, con mayúscula.
Persuadidos de ello, los franceses regalaron a este pueblo una
estatua gigantesca que la simboliza y que preside, como es sabido,
la entrada del puerto de Nueva York. Así, la libertad tiene en
5 USA una estatua pero no es solamente una estatua. La libertad, en
Norteamérica, es un elemento más como el agua o el aire que se
respira. A fines del siglo xviii, los americanos documentaron su
libertad, la organizaron y pese a los apremios aparentes y a la no
menos aparente provisionalidad de este acto, la documentación
10 constitucional de la libertad y su organización subsiguiente fueron
tan concienzudas que ahí están, vivitas y coleando, como recién
estrenadas, al cabo de dos siglos. El mecanismo político yanqui
es algo perfectamente asentado y engrasado; algo que no envejece.
Uno puede comprobarlo viendo, en cualquier momento, cómo
15 funciona esta libertad. (La primera libertad del americano es la
libertad para observar cómo funciona la libertad.) Quiero decir
que uno puede meter la nariz en el Congreso, el Senado, la Corte
Suprema o la Casa Blanca sin otra disculpa que le justifique más
que el deseo de meter la nariz allí. Esto implica que el americano no
20 solamente cree en la libertad sino que posee buenas razones para

121

creer en ella; nada se veta aquí a la curiosidad pública. Y si la cosa
pública es pública de verdad, es, en definitiva, cosa de uno.[1] Y,
lógicamente, uno puede meter la nariz en sus cosas sin que nadie
le reprenda por ello. Pero el ciudadano americano tiene no sólo
5 derechos sino también — y esto es esencial — garantías. De este
modo la dignidad humana es la dignidad humana y no una entelequia. De acuerdo: el asesinato de Kennedy, los linchamientos,
el Ku-Klux-Klan, las argucias de ciertos políticos, los "gangs",
son, en cierto modo, corrupciones de la libertad, pero esto no
10 quiere decir nada o, en todo caso, quiere decir que la libertad está
cimentada sobre bases tan inconmovibles y es un concepto tan
sólido, que todos estos abusos, y muchos más que están en la
mente de todos, no han bastado para destruirlo. (Kennedy tenía un
sucesor a las dos horas del asesinato de Dallas, la ley de derechos
15 civiles se ha aprobado contra los linchamientos y el K.K.K., el
político corrompido es expuesto a la vindicta pública en las columnas de los diarios, estos diarios tan auténticamente libres que ellos
constituyen, en casos extremos, por aquello de que el miedo
guarda la viña,[2] la mayor garantía de esa libertad de la que tan
20 orgullosos se muestran los yanquis.)
    Esta libertad se sustenta en la libre elección de los hombres
representativos para toda clase de cargos: desde el oficio de
Presidente al de Miss Estados Unidos. El concepto libertad
descansa, pues, en el concepto democracia, tan desvirtuado, desde
25 los griegos a esta parte.[3] Los americanos siguen fieles a sus principios y no — ya lo hemos dicho — porque lo crean perfecto sino
porque lo consideran el más justo de todos los sistemas. A este
tenor, es curioso observar que desde la elección de Presidente
hasta las reuniones de barrio o de parroquia se dirimen aquí por
30 el procedimiento de la mayoría. Naturalmente cabe el error, cabe
la elección de un lelo pero siempre es más fácil la resignación
cuando uno piensa: "hemos elegido a un lelo" que no cuando se
dice: "nos han enviado un lelo". (Para los hombres, como para los
pueblos, no se puede pensar en el estado perfecto — tal cosa re-
35 sulta demasiado ambiciosa y sobrepasa las posibilidades humanas

— sino en el menos imperfecto de los estados.) El caso es que esta
máquina — desde el engranaje municipal al federal pasando por
el de cada uno de los Estados — marcha democráticamente por
el viejo procedimiento de las urnas y de los votos. Es muy cierto
5 que la fórmula no carece de abusos, injusticias, presiones y charcas
podridas pero al propio tiempo es también la fórmula donde el
abuso, la injusticia, la presión o la charca pestilente, son más
difíciles de ocultar. Así, cada Estado tiene, en miniatura, las mismas instituciones que la federación — su gobernador, su Senado
10 y su Congreso — y la desproporción de dos senadores por cada
Estado en el gobierno central — sea el Estado grande o chico —
viene compensada en la Cámara de Representantes, donde el
número elegido por cada Estado de la Unión es proporcional al
de sus habitantes. En principio, la cosa no parece sencilla, puesto
15 que si hay problemas que dependen de cada Estado — comunicaciones, enseñanza, etc. — otros hay que dependen directamente de
Washington — FBI — y otros que se resuelven a medias. No
obstante, el mecanismo funciona y el país prospera, hecho que le
induce a uno a pensar que si el río suena, agua lleva.[4]
20 La experiencia del viajero, salvo su curioseo por las Casas*
donde se guisa la cosa pública, no es importante en este apartado.
La política no pesa apenas en la calle; como los pobres o la policía,
es algo que existe pero que no se ve. Sin embargo, el viajero puede
decir que para él tuvo menos importancia la gran Estatua de La
25 Libertad que se alza a la entrada del Hudson, que otra estatua de
carne y hueso con la que se topó, apenas desembarcado, en plena
Quinta Avenida de Nueva York. Se trataba de un hombre maduro,
bien nutrido, discretamente trajeado, que portaba en las manos
una especie de estandarte donde se leía esta recomendación: "No
30 compréis cepillos X. Nos pagan bajos salarios." Sin duda se
trataba de uno de esos hombres apartados bruscamente por la
euforia mecánica del progreso, uno de esos seres — que también
los hay aquí — que sin morirse de hambre — posiblemente como

* las Casas las dos Cámaras del Congreso.

la empresa a la que servía — arrastran una vida lánguida sin poder
parear su paso al de la colectividad. Posiblemente era un hombre
no sindicado, sin cauces más eficaces para orientar su protesta,
y, en consecuencia, se echó la cartela al hombro y se estacionó
5 entre la masa que, como un torrente, circula a todas horas por la
Quinta Avenida neoyorquina. Y allí estaba con su grito, con su
denuncia concreta, en la arteria más concurrida de este país, sin
que nadie le ordenase circular ni se le mirase como a un bicho raro;
era un ciudadano libre que, a falta de mejores defensas, empleaba
10 la única, seguramente, que tenía a mano. (Esto, insisto, no quiere
decir que el asalariado yanqui no cuente con resortes más eficaces
para reclamar lo que es justo, resortes de tipo representativo y
verbal que cuando fallan pueden degenerar en la huelga.) Pero para
el viajero recién llegado, aquel hombre, dolido con la fábrica de
15 cepillos que le pagaba poco dinero, constituyó un símbolo; otra
estatua — ésta, viviente — de la libertad. (Dígase lo que se quiera,[5]
este es un pueblo que si no curado de todo fanatismo, de toda
pasión política interna, sí los ha superado. Nadie, allí, pretende
imponer "su verdad" a otro; nadie se ríe de "la verdad" ajena,
20 la execra o la pone en solfa[6] — recordemos la vida efímera del
"McCartismo" que intentó tan torpe juego —. Y esto ya es mucho,
no cabe duda.)
     Esto no obsta para que los observadores de la vida del país,
ajenos al país, esto es, extranjeros residentes, disientan a la hora
25 de valorar la libertad americana. A un amigo de Bloomington le
he oído decir que Norteamérica era el país menos libre del mundo.
"En cuanto uno intenta aquí nadar contra corriente, puede darse
por ahogado." Por contra, a un amigo más próximo, actualmente
en Washington, le he escuchado frases como ésta: "La libertad
30 americana es tan grande que los comunistas están infiltrados en
las escuelas, en la policía y en todos los organismos vitales del
país." Por último, un tercer señor, no amigo, afirmaba que "El
americano no es libre, sino esclavo de la *masificación*." Como
ustedes podrán observar, aquí hay opiniones para todos los gustos,
35 opiniones que uno puede estampar si lo desea, con lo que cabe

pensar que, allí donde hay opiniones para todos los gustos e, incluso, su portavoz puede darlas a la imprenta si lo desea, es que hay una libertad muy grande, ni más ni menos.

En ciertos aspectos, sin embargo, a mi amigo de Bloomington
5 no le falta razón. Ahora bien, queda por definir[7] lo que en Estados Unidos se entiende por "la corriente". Uno, a juzgar por lo que ve, cree que la corriente aquí es la libertad y en tal sentido, es explicable que todo aquel que intenta el juego totalitario, fascista o comunista, sea estrangulado por la sociedad. La libertad se de-
10 fiende; eso es todo. El cerco social al totalitario — no me refiero a los tribunales especiales que en su día se montaron — es, consecuentemente, la secreción con que la libertad se protege. Esto no es obstáculo para que el crítico del país — de sus defectos y de sus excesos, de sus coacciones y sus injusticias — pueda vivir en él
15 tranquilamente y aun ganar mucho dinero. No olvidemos que los escritores más antiamericanos del mundo — los que han puesto a su país en la picota[8] — son americanos ciento por ciento. (Sin necesidad de rebuscar me vienen docenas de nombres a la punta de la pluma[9]: Henry Miller, Faulkner, Steinbeck, Tennessee
20 Williams, etc., etc.)

En lo atañedero a la infiltración de elementos totalitarios es comprensible desde el punto en que en el pleito libertad contra despotismo, es aquélla la que lleva la de perder (de otro modo dejaría de ser libertad). Pero si, como hemos visto, el cuerpo social
25 se defiende, es obvio que el nazi o el marxista que pretende jugar su juego y, por tanto, explotar, el sentimiento común de libertad para socavar sus cimientos, más tarde o más temprano terminará por hallar las puertas cerradas. (Otra cosa es — y diametralmente opuesta — el tacto de codos[10] con que algunos Estados del Sur
30 tratan de impedir el acceso del negro a la sociedad pese a la ley de derechos civiles y a todas las leyes. Ya desarrollaremos este punto más adelante.)

Por último, no dejan de parecerme pueriles las afirmaciones, no nuevas, de que el americano no es libre "sino esclavo de la masa".
35 Aun dando esto por bueno[11] podríamos argüir que un hombre es

libre cuando espontáneamente acepta ser esclavo y no lo es cuando se rebela contra esta pretensión y por este movimiento de rebeldía es castigado. En todo caso, estas afirmaciones de que el americano es esclavo de la coca-cola, del automatismo, del espíritu gregario,
5 no dejan de ser ingenuos latiguillos. Si tener una casa propia con árboles y césped — aunque sea más o menos semejante a la del vecino — ver la televisión cada noche, salir de excursión en automóvil con la familia los domingos y disponer todos de los mismos ingenios culinarios — frigorífico, lavadora, lava-platos, secadora,
10 limpiacalzado, etc. —, es una forma de esclavitud, bienvenida sea la esclavitud. Se afirma que el americano carece de imaginación; va, como Vicente, donde va la gente.[12] Pero uno se pregunta: ¿qué sociedad, por imaginativa que sea, donde un ochenta por ciento de sus miembros tuviera acceso a lo superfluo — pero sin poder
15 recurrir a manos mercenarias — dejaría de uniformarse en el sentido arriba indicado? Uno, sinceramente, cree que ninguna. Y aun cree más: si el hecho de conservar la personalidad, se condicionara a la necesidad de prescindir de aquellos adelantos pudiendo usarlos, los hombres — la gran masa, al menos — renunciarían espon-
20 táneamente a la personalidad. Cosa distinta — y aquí el argumento que trato de rebatir tiene alguna validez — es el creciente aumento de dificultades que comporta al desarrollo técnico para que el individuo no sea presa del contagio; esto es, para conservarse "él mismo" y no ser absorbido por el rebaño. Es obvio que
25 la televisión y la lavadora actúan contra la personalidad, pero no es menos obvio que la personalidad que sucumba ante la lavadora y el receptor de televisión no es tal personalidad sino una caricatura de personalidad. Y confío que en este extremo estamos todos de acuerdo.
30 De otro lado, esto de atribuir al pueblo americano la condición de rebaño me parece un tanto arbitrario. Y aun aceptándolo, habrá que admitir que no se trata propiamente de un rebaño sino de muchos rebaños. (No seamos patrioteros ni ingenuos. Las cafeterías, los pantalones vaqueros, los árboles de Navidad y la
35 goma de mascar, tan rápidamente aclimatados en nuestro país,

demuestran que no somos tan inmunes a las influencias como pretendemos; que es, ante todo el aislamiento — forzado o no — el que ha preservado hasta hoy nuestra individualidad. Una ventolera de turismo ha bastado para desenmascararnos, para que el mime-
5 tismo más vulgar o irrisorio nos invada. Hoy día, casi todas nuestras muchachas — ricas y pobres — aspiran a vestir como las modelos de "Vogue" y todos nuestros pueblos, a tener un edificio de cinco o seis pisos, para llamarle "el rascacielos", e ir, poquito a poco,[13] aproximándose a Nueva York.) Pero a lo que iba. En
10 América hay mucha gente para todo y esto es lo que nos lleva a pensar que todos hacen lo mismo. Pero si reparamos en la estructura opuesta de ciudades tan próximas como Washington y Nueva York, o en la diversa actitud ante el vestido — y ante la vida — de una muchachita inútil de barrio bien, con una muchachita uni-
15 versitaria, o una muchachita de Greenwich Village, convendremos en que aquello de la "tiranía de la masa" no pasa de ser una frase. (El viajero ha visto, en Washington, a una novia ataviada con traje verde lechuga — traje largo, de novia — y tocada con[14] velo de tul ilusión, verde lechuga también, recibiendo la típica rociada
20 de arroz de sus amigas a la puerta del templo. El conjunto, no sé si disparatado o no, resultaba desde luego extraño, incluso en los Estados Unidos. Y yo me pregunto: ¿En qué país menos masificado, menos gregario, hay una chica dispuesta a echarse por la cabeza un velo de tul verde lechuga para ir a la iglesia a casarse
25 imponiendo su gusto — bueno o malo — sobre siglos de convencionalismos y de respetos humanos?)

MODISMOS

1. **cosa de uno**   something which belongs to everyone
2. **por aquello de que el miedo guarda la viña**   on account of it, fear of public opinion prevents wrongdoing
3. **desde los griegos a esta parte**   from the time of the Greeks to the present

4. **si el río suena, agua lleva**   if one does not hear of any clashes or problems, everything must be going smoothly (*literally* if the river makes a sound, it carries along water)
5. **dígase lo que se quiera**   say what you will
6. **o la pone en solfa**   or puts it in a ridiculous light
7. **queda por definir**   it remains for one to define
8. **han puesto a su país en la picota**   have held their country up to public scorn
9. **me vienen docenas de nombres a la punta de la pluma**   there come quickly to mind dozens of names
10. **el tacto de codos**   the solidarity
11. **aun dando esto por bueno**   granted that this was true
12. **va, como Vicente, donde va la gente**   a popular proverb to indicate a person who always goes along with the crowd
13. **poquito a poco**   (very) little by little
14. **tocada con**   wearing

EJERCICIOS

I. *Contestar:*

1. ¿Qué es el orgullo de todo americano?
2. ¿Quién regaló la Estatua de Libertad a USA?
3. ¿Cómo se describe el elemento de la libertad americana?
4. ¿Cómo es el mecanismo político yanqui?
5. ¿Qué es la primera libertad del americano? Dar un ejemplo.
6. ¿Cómo ocurre que las corrupciones o los abusos de la libertad no la han destruido? Citar unas pruebas.
7. ¿Cómo se sustenta la libertad americana? ¿Por qué siguen fieles los americanos a los principios de la libertad?
8. Si cabe la elección de un lelo, ¿cómo racionaliza la sociedad americana?
9. Describir el gobierno de los Estados.
10. ¿Cómo se resuelven los problemas estatales y nacionales?

11. Contar el episodio del hombre que constituyó un símbolo viviente de la libertad.
12. Señalar las diversas opiniones sobre la libertad.
13. ¿Qué dijo Delibes acerca de ciertos escritores "anti-americanos"?
14. ¿En qué sentido se da la bienvenida a la "esclavitud" gregaria en USA?
15. ¿Cómo actúan contra la personalidad la televisión y la lavadora?
16. ¿Qué ha preservado hasta hoy la individualidad española?
17. Enumerar las influencias americanas actuales en España.
18. Describir el traje de la novia en Washington. Después de verlo, ¿qué se preguntó el viajero?

II. *Discuta Vd. el tema de la libertad con un extranjero o con una persona que ha vivido en otro país; es decir, trate no sólo el concepto de la libertad estadounidense sino el de otra nación.*

III. *Escribir en español:*

The pride of every American is Liberty, written with a capital letter. It does not consist only of statues to Liberty but it is a necessary element in the environment, like air or water. This liberty is seen in the free election of representatives for all kinds of responsibilities. It is sustained in the belief that every individual has his rights and guarantees. In spite of the abuses and corruption, one finds that liberty is nevertheless such a solid concept that these problems are insufficient to destroy it. For example, within two hours after the assassination of President Kennedy, there was a successor so that the government continued to function without interruption.

Women have more freedom in the United States than in the majority of other countries. Foreign women who come to the United States are surprised at the great liberties American women enjoy. Those who come to study are happy to find out that they too have so many rights and guarantees. For example, a young Spanish lady discovered that she could come and go into her dormitory without anyone sticking her nose in her affairs. She liked the domestic conveniences of a refrigerator, washing machine, dishwasher, and dryer. She remembered that in her own home there was domestic service to wash and dry plates, to buy foods, etc. After four years of university studies, she received her degree and a little later became an American citizen. She obtained a good job and earned a good salary, she bought her own car, and lived alone in a small apartment for the first time in her life. She was happy in this new personal freedom.

XV
LA INTEGRACIÓN SOCIAL

Si uno piensa que en Norteamérica existen dieciocho millones de seres de color, dentro de una población total de aproximadamente ciento ochenta millones, esto es que hay un negro por cada nueve blancos, habrá que reconocer que los choques raciales — aunque
5 cruentos y dolorosos — no son demasiado frecuentes. Dadas la animadversión indicada y la población dicha, en cualquier otro país más vehemente — hablo en términos generales — que el yanqui, los sucesos sangrientos menudearían más. Esto me induce a pensar que tanto entre los blancos como entre los negros, los
10 elementos encendidos, apasionadamente intransigentes, son, afortunadamente, los menos; los menos de una minoría muy minoría. Pero son suficientes para mantener un estado de tensión, de inseguridad constantes. El resto, en la major parte de las ocasiones, por un lado y por otro, lo hace el miedo. El miedo a la
15 venganza o a las represalias. Lo sorprendente es que hace unos años — cuando todavía la ley de Derechos Civiles se consideraba una utopía y el horizonte se mostraba cerrado — los negros no tomasen una actitud colectiva de agresividad. No me refiero a una guerra civil abierta, puesto que para ello les faltaba conexión, pre-
20 paración y cuadros de mando,[1] pero sí a una estampida irrazonada

131

y furiosa. Si consideramos que en el barrio de Harlem se hacinan hasta casi medio millón de negros que, en general, malviven junto a la abundancia de la mayor parte de los blancos — los puerto-rriqueños son aún más miserables que aquéllos — uno no se ex-
5 plica cómo en todo este tiempo de trabas y humillaciones no se produjo una "razia"[2] devastadora sobre la Quinta Avenida o Park Avenue, pongamos por caso, saqueando, incendiando y matando. (Del negro se creyó que era cobarde y, por tanto, inservible para la guerra, hasta el desembarco aliado en Italia, fecha en que se
10 demostró "que el hombre de color podía ser un buen soldado" y que señala más o menos, si no me equivoco, la incorporación del negro a las academias militares americanas.)

El caso es que la explosión de Harlem no se ha producido y aunque cada día menos probable, no hay que descartar la posi-
15 bilidad de que se produzca. Porque si el progreso del negro hacia la absoluta equiparación es franco, su excitación, lejos de disminuir por esta causa, ha aumentado, como ha aumentado la fiebre represiva del blanco segregacionista, que ve perdido el asunto, y cómo crece el espíritu integracionista en el otro sector. Así, resulta
20 palmario que las nuevas generaciones de jóvenes blancos — con sus excepciones, naturalmente —, toman una actitud muy distinta ante la cuestión de la que tomaron sus abuelos. Y especialmente los intelectuales o, por mejor decir, los universitarios del norte. He aquí uno de los aspectos donde mejor se percibe el paso de Ken-
25 nedy por la administración del país. El joven universitario ameri-cano no sólo se aviene a la integración real sino que la aplaude; y no sólo la aplaude sino que la predica; y no sólo la predica sino que, en ocasiones, accede al martirio por esta causa. (Si en el capítulo anterior uno se dejó llevar[3] por el desaliento, aquí no
30 puede por menos de[4] consignar su admiración hacia esos grupos universitarios que aprovecharon sus vacaciones de verano en 1964 para recorrer los Estados del sur más notoriamente segregacio-nistas, con el fin de explicar a los negros semianalfabetos el alcance y significación de la ley de Derechos Civiles en trance de[5] aproba-
35 ción por las Cámaras. La reacción del blanco segregacionista

sureño fue violentísima. Los muchachos, en no pocos lugares, hubieron de buscar la protección policial, fueron apaleados o pagaron con la vida — sé de tres casos — su gesto heroico, alevosamente asesinados en la noche.)

5 Todo esto ya delata la diversa actitud de norte y sur ante el problema pese a los años transcurridos — un siglo — desde la Guerra de Secesión. El sureño — cada vez en menos Estados, esto es visible — continúa en su hermetismo recalcitrante. Nada importa que sus antecesores tomaran sus concubinas de entre las 10 esclavas negras. Esto, a fin de cuentas,[6] no era sino aumentar su riqueza en esclavos supuesto que el nacido seguía la condición de la madre. Estas relaciones caprichosas, donde las esclavas no tenían otro remedio que obedecer, prueban que para el feudal sureño el negro era un juguete con el que podía hacer lo que le 15 viniese en gana. Por contra, el norte, lucha, primero, por la emancipación del negro; vota, luego, en masa, por los hombres que representan la integración y, por último, envía sus jóvenes a los focos más notables de la resistencia sureña en una auténtica obra misionera. (Esta diferente actitud de los Estados del norte y del 20 sur, se le hizo muy clara al viajero en un "Night Club" de Baltimore, oyendo cantar al cantante de color John Whyte. El auditorio —me fijé bien—era exclusivamente blanco, gente joven en general. Pues bien, cuando Whyte anunció una canción dedicada a los gobernadores de algunos Estados del sur, la atención, ya muy 25 viva, se concentró aún más. Se trataba de una letra humorística a base de un gobernador — blanco, claro — que se muere y cuando ya en el hospital, le anuncian que van a transfundirle sangre, él, débilmente, dice que si es de negro no la quiere. Le dicen que es plasma y no sangre, pero él insiste que si el plasma es de negro le 30 dejen morir. El médico intenta convencerle de que el plasma está allí preparado y que no es de blanco ni de negro y que va a salvarle la vida, pero el gobernador deniega con la cabeza y con el último acopio de energías, dice que si el plasma no ofrece garantías, es preferible que le dejen en paz. Bueno, creo que, sobre poco más o 35 menos, la historia que me tradujeron era ésa; pero esto no tiene

importancia. Lo que importa — lo significativo — es que un
auditorio de blancos sin excepción aplaudiera y corease entu-
siásticamente a un negro que ponía en ridículo a un gobernador
blanco.)

5   En suma, el problema, adormecido hace unos años, ha entrado
en un proceso evolutivo apresurado. El negro tiene prisa por ser
igual al blanco; el blanco segregacionista la siente también por
cortar definitivamente sus reivindicaciones, y tiene prisa, asimismo,
el blanco integracionista porque sus nobles sentimientos cunden.

10 En el seno de esta urgencia, los importantes logros del negro en
pocos años no cuentan, o mejor dicho, cuentan al revés, para infundir al negro mayor impaciencia y mayor seguridad y para aumentar el caudal de violencia en su oponente. (Es obvio, que la
sangre, se quiera o no, está abriendo por días entre ambas razas

15 una sima más profunda. La animadversión del negro acrece y se
manifiesta en los más variados aspectos. Por ejemplo, la religión:
el dirigente Malcolm X, asesinado en el barrio negro neoyorquino, fue hasta la muerte de Kennedy, jefe de una secta negra
musulmana. Pues bien, el progresivo desarrollo de la religión

20 mahometana entre los negros, no obedece tanto a la sugestión del
Corán como al hecho de que ésta no es una religión "esclava",
una religión de blancos, que prescribe la resignación ante las
humillaciones y la aceptación de los sufrimientos de este mundo
con la promesa de otro mejor para después de la muerte.) Total,

25 que aunque las cosas progresan en el único sentido en que pueden
progresar — la integración — el apresuramiento de las últimas
etapas puede motivar más víctimas que las ocasionadas por esta
causa durante el último siglo.

Los sociólogos y escritores se ocupan, naturalmente, de esta
30 cuestión, a mi entender, la más peliaguda (junto a la fricción norte-
sur, no extinta, y cuyo caballo de batalla es, en esencia, la posición
del blanco frente al negro) que hoy por hoy tienen planteada los
Estados Unidos. Los tratadistas hacen de esta esquinada pugna
un problema de educación, cuando no un problema sexual o un
35 problema de amor. En rigor, el problema es vastísimo, presenta
tantas facetas que, bien mirado, todo cabe en él.

La educación, en efecto, constituye un motivo de distanciamiento. Cuando uno — el viajero — observa, en el seno del colmenar febril y laborioso que es este pueblo, los grupos indolentes de negros, estacionados en la esquina de una calle, arrastrando la consabida
5 abulia tropical, piensa, instintivamente, que la integración no es posible. Cuando uno observa en todos los rincones urbanos, esas excrecencias sociales de negros sucios y harapientos en este país obseso por la higiene, piensa, instintivamente, que la integración no es posible. Por contra, cuando uno topa con negros y negras
10 cultivados, de aguda inteligencia, y ademanes mesurados y correctos, piensa, en el acto, que el problema blanco y negro es simplemente un problema de escuela; esto es, que el día en que el negro disponga de las mismas "High Schools" y Universidades que el blanco, y el mismo acceso a la pericia, la diferencia entre unos y
15 otros se limitará al color de la piel.

Mas el tópico, aquí, cuando uno se muestra partidario de la integración real es la pregunta: "¿Le gustaría a usted que su hija se casara con un negro?" Ante el desconcierto del interrogado el segregacionista interrogador cree haberle tapado la boca y, en
20 consecuencia, haber acertado a plantear el asunto al desnudo: el problema blanco y negro es un problema de amor. Algunos van más lejos: admiten este amor, pero rechazan la idea de la descendencia. "Norteamérica no puede convertirse en un continente de mestizos." Esto, si no me equivoco, es lo que más repugna al
25 segregacionista fanático del sur. Por ello, al ver perdida la batalla de los Derechos Civiles, el sureño adverso a esta ley, al tiempo que se obceca y se siente capaz de llegar — y a veces llega — hasta el crimen, va estudiando la manera de aceptar un nuevo régimen de vida con el menor número de inconvenientes posible. Así, empieza
30 a aceptar la escuela integrada (blancos y negros) pero rechaza, de pronto, la escuela mixta (niños y niñas). Éste parece ser uno de los puntos de discordia que se avecinan. Buen número de sureños blancos admitirán que un negro franquee las puertas de las escuelas de sus hijos varones pero se opondrán a la coeducación que
35 hasta el momento ha prevalecido en todos los centros de enseñanza yanquis. Por contra, buena parte de intelectuales y artistas

blancos del norte han brindado un ejemplo de integración casán-
dose con negras. (Por supuesto, la medida, lejos de tomarse como
modelo, se ha interpretado en amplios sectores del sur como un
desafío, como un anticipo del mal que se les avecina y no ha
5 servido sino para encorajinarlos aún más, para estimular sus sentimientos discriminatorios.) Todo esto prueba que el factor sexual
es, sin lugar a discusión,[7] otro de los factores claves del problema.
　　Pero hay más: la opresión económico-social. Este aspecto está
íntimamente ligado con el de la educación pero no es lo mismo.
10 El negro no recibe en este país las mismas oportunidades profesionales que el blanco. Y no hablo ahora de las escuelas sino del
desarrollo de un trabajo cualquiera. El médico, el abogado negros,
son con frecuencia, objeto de vacío, de un "boicot" más o menos
solapado por parte de la sociedad blanca. Pueden, naturalmente,
15 vivir a costa de una clientela negra, pero siempre quedarán al
margen de la sociedad. El trabajador apenas puede salir de la
condición de peón o de bracero porque no tuvo acceso a la especialización. El especialista, de otro lado, topaba con la oposición de los sindicatos. Y así, todo. ¿Cómo extrañarnos, entonces,
20 de esos grupos astrosos de vagabundos negros, de esos borrachos
embrutecidos, que pululan por las calles de Harlem? ¿Quién es el
responsable de esta pereza, de ese vicio, de aquella suciedad?
　　Uno debe insistir en que éstas no son abstracciones. Las mismas
estadísticas oficiales (coincidentes con los informes del magisterio
25 de que el nivel intelectual del negro no es inferior al del blanco)
nos dicen que entre los pobres de este país rico una gran mayoría
— proporcionalmente considerada — son negros. Pero vayamos
con las cifras. El gobierno Kennedy dejó sentado[8] que en este país
podía juzgarse pobre al trabajador con esposa y dos hijos cuyos
30 ingresos no alcanzasen los 3.000 dólares anuales (180.000 pesetas).
Bueno, pues con arreglo a este baremo, resulta que siete de los
nueve millones de negros que aquí trabajan son pobres (dos millones de negros no ganan más de 500 dólares; un millón setecientos mil, no rebasan los mil; otros dos millones están entre los
35 mil y los dos mil dólares de ingreso por año, y un millón y medio

montan los dos mil pero no llegan a tres). Como síntesis más expresiva nos encontramos con que la media de ingresos de una familia negra en los Estados Unidos es de 3.500 dólares aproximadamente y la media de la familia blanca 7.000, esto es, el
5 doble exactamente.

No merece la pena detenerse más tiempo en demostraciones. Está bastante claro que el problema racial es problema de infinitas aristas: educación, amor, oportunidades y hasta de asiento en el autobús. El negro ya no es esclavo en USA pero sí un ser
10 marginado. Hay quien arguye que el problema es insoluble y que más aplacado o más virulento existirá siempre. (Hay negros que piden un Estado de la Unión para ellos solos; otros — los menos — se resignan; otros claman por una urgentísima y absoluta integración social; otros amenazan . . . Entre los blancos, los en-
15 foques de la cuestión no son menos variados). Sin embargo, uno cree, que en la resolución del problema se ha avanzado mucho en poco tiempo y ahora, antes que el odio, son la prisa y el miedo los que están originando más víctimas. Por ello convendría, antes que nada, llevar al ánimo de tirios y troyanos,[9] un sentido de pon-
20 deración y ecuanimidad. Este problema, como todos los problemas humanos, tiene una solución viable: la tolerancia (y en este sentido se progresa). El amor, no cabe duda, sería preferible, pero ya que no debe exigirse amor al incapaz de sentirlo, sí se le puede pedir transigencia.

25 En este punto me viene a la cabeza[10] mi barrio washingtoniano, a lo largo de la Avenida Georgia, un barrio hermoso, residencial, donde viven blancos y negros en la mejor armonía. (Tengo entendido que este barrio es una especie de ensayo de convivencia.) Al viajero, la verdad, le conmovía ver corretear por el césped, de
30 la mano, a la pequeña y rubia Annie con la negrita Maggie. Ambas niñas se extasiaban ante las mismas muñecas; sentían las mismas ilusiones, los mismos arrebatos, las mismas pesadumbres, los mismos problemas . . . Pero el de la piel aún no lo era — no era todavía problema —: Y el viajero se pregunta ¿por
35 qué los adultos no pueden seguir viviendo como los niños? Y aún

más ¿por qué toda América no puede vivir — convivir — como he visto que vive — convive — este barrio washingtoniano?

MODISMOS

1. **cuadros de mando**   leadership, directing agencies
2. **una "razia"**   a huge riot
3. **uno se dejó llevar**   one let oneself be carried away
4. **aquí no puede por menos de**   here one cannot do less than
5. **en trance de**   in the process of
6. **a fin de cuentas**   after all
7. **sin lugar a discusión**   without more ado
8. **dejó sentado**   made it plain, established the fact
9. **de tirios y troyanos**   of opposing factions
10. **me viene a la cabeza**   there comes to my mind

EJERCICIOS

I. *Contestar:*

1. ¿Cómo racionalizó Delibes el estado infrecuente de los choques raciales en USA? Dadas las mismas circunstancias en otro país más vehemente, ¿qué podría ocurrir?
2. ¿Qué estado mantienen los elementos encendidos e intransigentes? ¿Qué porcentaje de la población representan?
3. ¿Cómo se describió el barrio de Harlem?
4. ¿Cuándo se decidió que el hombre de color no era inservible para la guerra?
5. ¿Qué anticipó Delibes con respecto a Harlem?
6. ¿Qué ha aumentado simultáneamente con el progreso del negro hacia la absoluta equiparación?
7. ¿Según Delibes, qué es la actitud racial de los universitarios del norte?

8. ¿Qué acción estimó Delibes entre unos grupos universitarios?

9. ¿Cómo entendió Delibes históricamente la actitud sureña hacia el negro? ¿Por qué resultó distinta la actitud racial en el norte?

10. Contar el episodio en el "Night Club" de Baltimore. ¿Qué era lo significante del episodio para Delibes?

11. ¿Por qué tienen prisa el negro y el blanco integracionista?

12. Según el autor, ¿por qué cuentan al revés los importantes logros del negro?

13. ¿Por qué tiene afición el negro a la religión mahometana?

14. ¿Cómo interpretan los escritores y los sociólogos el problema racial?

15. Al conocer a unos negros cultivados, ¿qué opinó Delibes sobre la integración? ¿Cuándo desesperó el autor de la realización de una integración racial?

16. ¿Qué es lo que más repugna al segregacionista fanático del sur? Explicar su actitud hacia la escuela integrada y la mixta.

17. ¿Quiénes se han casado con los negros?

18. ¿Qué actitud encuentra un negro disciplinado en una profesión?

19. ¿Qué dice el magisterio sobre el nivel intelectual del negro?

20. Según el gobierno Kennedy, ¿cómo se podía juzgar pobre a un trabajador norteamericano con esposa y dos hijos?

21. ¿Cómo se difiere la media de ingresos entre unas familias negras y blancas?

22. ¿Qué piden y claman unos negros?

23. ¿Cuáles son las actitudes que están originando ahora más víctimas en la lucha racial?

24. En cuanto a la lucha racial, ¿cuál era la solución viable de Delibes?

25. ¿Qué dijo el autor sobre el amor como una solución al problema racial?

26. Describir el barrio washingtoniano donde vivía Delibes.

II. *Dé Vd. un resumen de las citadas claves del problema racial. Discuta éstas desde el punto de vista de un extranjero, desde los puntos de vista de un sureño y un habitante del norte en USA.*

III. *Describa Vd. un suceso racial que haya transcurrido en su ambiente. ¿Ha participado Vd. en unas demostraciones? Describa Vd. lo que le ocurrió. ¿Qué opina Vd. sobre el problema racial en los Estados Unidos?*

IV. *Discuta Vd. con un extranjero, si es posible, la opinión de él sobre la lucha racial en los Estados Unidos o sobre la convivencia de grupos étnicos en su propio país natal. Prepare Vd. un discurso sobre los resultados de la conversación.*

XVI
LOS POBRES

Por primera providencia conviene dejar señalado que al hablar de pobreza, el concepto nos puede llamar a engaño: la pobreza, en Norteamérica, no tiene nada que ver con la pobreza india o, para buscar una referencia más cercana, con la pobreza española; con
5 nuestra pobreza.

Me propongo subrayar que la pobreza en USA rara vez es la miseria; no es una pobreza de hambre, una pobreza que se desenlaza — o pueda desenlazarse — con la muerte por inanición. Sin llegar a la extrema necesidad, se es pobre en los Estados Unidos.
10 O sea que todo es relativo y en este pueblo donde la gran mayoría tiene cubiertas con creces[1] no ya las necesidades, sino también los caprichos, los seres que no llegan a cubrir aquéllas con el suficiente decoro, son pobres. Kennedy en su esfuerzo por encarar los problemas más arduos del país se propuso hacer frente a éste y tras
15 unos estudios minuciosos concluyó que el salario mínimo de un trabajador norteamericano, como ya anticipé, en ningún caso debería quedar por debajo de los 3.000 dólares anuales, de donde se deduce que las 180.000 pesetas señalaban hace tres años en Norteamérica la frontera entre la pobreza y el bienestar. Hoy, tras
20 el ligero encarecimiento que experimenta la vida en este país,

141

podría fijarse esta cifra límite entre los 3.200–3.500 dólares anuales.

¿Y hay muchos americanos en esta situación? Si respondemos a esta interrogante con porcentajes de población no parecen demasiados (un quince por ciento), pero si respondemos en mi-
5 llones de habitantes, el guarismo sí resulta abultado: treinta o treinta y cinco millones de norteamericanos no alcanzan la cifra estimada como mínimo nivel de desahogo. De esto inferimos, que los pobres son todavía bastantes en los Estados Unidos, siquiera su pobreza no sea una pobreza mendicante. (Uno habla en tér-
10 minos generales, supuesto que en Bowery, Harlem y algunos otros barrios de grandes ciudades sí existe el pordiosero, si bien el pordiosero en los Estados Unidos arriba de ordinario a esta situación no por una defectuosa estructuración económico-social sino por vicio: el mendigo desastrado, inútil, inane, es, general-
15 mente, un vago, un alcohólico o un drogado.) El problema de la pobreza yanqui es pues enrevesado y se hace obligatorio parcelarle para que presente alguna claridad. Señalemos sus características: la pobreza americana es sensible, remediable y, en buena parte al menos, invisible. Vayamos por partes:
20   De entrada la pobreza yanqui es menos pobreza que otras pobrezas; esto es, se trata de una pobreza *relativa*. (Y no hablo sólo de los que ganan — aunque menos de los tres mil dólares — sino de los parados forzosos — asistidos con un estimable subsidio por el gobierno — y de los parados voluntarios que si no ganan
25 seis u ocho dólares diarios es, sencillamente, porque no quieren. Dada la carestía de la mano de obra en el país, cualquier trabajo realizado a domicilio — y todas las casas requieren una ayuda de este tipo — se paga y se paga bien. Naturalmente se trata de unos ingresos ocasionales y carentes de toda protección pero valen para
30 remediar un bache.[2]) Y, sin embargo, esta pobreza resulta más hiriente y deplorable que la del indio hambriento precisamente por producirse en el seno mismo de la opulencia. Nadie discutirá que la sed es una necesidad que crece junto a un oasis inalcanzable o que la soledad de una vieja neoyorquina es más dolorosa que la
35 soledad de un beduíno en el desierto. La circunstancia de tener el

remedio al lado acrece la sensación de insuficiencia, sea esta insuficiencia de pan, de agua o de afecto. Esta es una verdad que no
hay quien la mueva.[3] De lo dicho deducimos que la población de
los Estados Unidos se puede clasificar así: un diez por ciento de
5 hinchados, un setenta y cinco por ciento de sobrados y un quince
por ciento de necesitados; no de hambrientos, pero sí de necesitados de algo; comida, vestido, calor, habitación o seguridad social.
Uno piensa, honradamente, que pocas sociedades podrán ofrecer
hoy un porcentaje de hombres que disfruten de un nivel de vida
10 tan holgado pero, por ello, la minoría que no la alcanza es aún más
digna de compasión. Germán Arciniegas* está en lo cierto[4] cuando
afirma que "el hambre de nuestro tiempo es una necesidad que
crece con mirar". Es obvio que al americano pobre que observe
en torno suyo ha de despertársele el hambre de muchas cosas.
15 La pobreza americana, si relativa, resulta de por sí tan lastimosa
como otras pobrezas más agudizadas y extremas.
    La pobreza americana representa, por otra parte, un problema
remediable. En un país como éste, donde hasta las basuras delatan
un coeficiente de prosperidad, no parece difícil atajar el mal.
20 Uno cree que en el caso presente, antes que de una cuestión de
redistribución, se trata de un problema de atención. Un quince por
ciento de la población que trabaja y gana, pero no lo necesario,
no constituye sino un problema de planteamiento. La producción
puede aumentar y, aun sin necesidad de que aumente, da para
25 todos.[5] El problema de redistribución se presenta en aquellas
comunidades que ofrecen un quince por ciento de hinchados, un
veinte de satisfechos, y un sesenta y cinco de necesitados de algo.
En este caso, es evidente, que hay que buscar una estructuración
más justa y procurar la adopción de medidas que contribuyan a
30 una más equitativa distribución de la renta nacional. Pero éste no
es, ni mucho menos, el problema yanqui. Un país como éste que
en unos años deshace y vuelve a hacer una ciudad para 50.000

* **Germán Arciniegas** escritor famoso, natural de Colombia (nació en
1900), Ministro de Educación en Colombia, diplomata en Londres y en Buenos
Aires, catedrático en Columbia University en Nueva York (1954–1959).

habitantes, está en condiciones, pongo por caso, de derruir el
barrio negro de Harlem y substituirle por uno nuevo. Kennedy
había afrontado decididamente la cuestión, y hasta, como dije,
llegó a plantearla, pero no le dieron tiempo de resolverla. Ahora
5 Johnson, su sucesor, tiene la palabra. En todo caso, no se trata de
hacer caridad desde el poder, ni de una disposición aislada que
establezca un salario mínimo vital, sino de una serie coordinada
de resoluciones que aborde la cuestión en todos sus estamentos:
desde las zonas deprimidas, a la discriminación racial — es su
10 aspecto social, como ya vimos — pasando por la enseñanza
técnica para adultos, supuesto que en un medio mecanizado como
éste, aquel que ignora lo que es un carburador — y ustedes ya me
entienden — es un perfecto náufrago (éste es el caso de los miles de
braceros a quienes la mecanización del campo empuja anualmente
15 a los suburbios de las grandes ciudades industriales).

Por último, la pobreza norteamericana es, prácticamente,
invisible. El escritor católico yanqui Michael Harrington, ha es-
crito un duro libro únicamente para demostrar esto. Y buena falta
venía haciendo[6] ya que lo que no se ve no se siente, lo que no se
20 siente no remuerde y el problema que no remuerde no se afronta.
Naturalmente, la característica de la invisibilidad de la pobreza
americana va íntimamente unida a la de su relatividad. El hecho
de que el pobre no lo sea del todo permite que su indigencia no se
trasluzca. En una palabra, los pobres integrales son muy pocos en
25 Estados Unidos. La comida es accesible a todos — el hambre se
mata con medio dólar — y el vestido también — camisas y camise-
tas a dólar; jerseys y pantalones a dólar y medio; impermeables a
cinco —. De esto se infiere, que para comer y vestir todo el mundo
tiene, de manera que la pobreza se manifiesta especialmente en la
30 vivienda y afinando un poco más no en la calidad externa de la
vivienda — aquí apenas hay chabolas — sino en el hacinamiento.
La casa es un apartado carísimo en Norteamérica. De ahí que el
trabajador que no dispone más que de mil o dos mil dólares
anuales, se ve en la precisión de compartirla. Y entonces sobreviene
35 lo inevitable: un piso de cinco habitaciones compartido, a lo
peor, por cinco familias.

Aparentemente la casa es decorosa: factura discreta, tres o cuatro pisos, fachada de ladrillo, pero si nos adentramos en ella observaremos que existe una cocina para cinco familias y un retrete — en la escalera — para ochenta vecinos. La promiscuidad,
5 la suciedad, el embotamiento son las secuelas obligadas de esta existencia. Esto, más o menos, es lo que sucede en Harlem y en todos los barrios bajos de este país, lo que no quiere decir que en algunas ciudades y en algunas zonas campesinas — Virginia, Carolina — el viajero no haya visto casas humildísimas, desvenci-
10 jadas, e inhabitables, pero su proporción es muy pequeña.

La pobreza americana se centra, pues, en la vivienda y la falta de seguridad social — atención médica, retiro, etcétera —. De ahí como antes apuntaba, su invisibilidad. Pero el cuento de las hierbas y los sabios* también halla aplicación aquí. Insinúo que
15 esta pobreza relativa es atrayente para quienes viven en una pobreza absoluta. Ésta es la causa del movimiento de concentra- ción de negros y puertorriqueños en ciudades como Nueva York. (La situación de Puerto Rico no acaba de definirse. Su integración en la federación no es total. La opinión ante esta posibilidad se
20 divide. En general, el puertorriqueño desea disfrutar de las venta- jas que proporciona el nivel de vida yanqui pero rehusa sus incon- venientes. Quiere que le industrialicen pero le enojan los impuestos. Otros hay que aspiran a todo — lo malo y lo bueno — y otros, por último que no quieren nada — ni lo bueno ni lo malo — sino
25 la independencia. Mientras el asunto se decide, se han provocado dos fenómenos: vertiginosa y nutridísima inmigración de puer- torriqueños al continente — ellos cooperan en gran parte al porcentaje de pobres que denuncian las estadísticas — y verti- ginosa industrialización de la isla. Antes mi amiga Amelia del Río,
30 viuda del gran historiador de nuestra literatura y gran castellano, de Soria, Ángel del Río, me contaba de la transformación experi- mentada por la isla durante los últimos meses. "Aquello — me decía, mitad con alegría, mitad con nostalgia — va dejando de ser

---

* **el cuento de las hierbas y los sabios** Se refiere a un sabio pobre que tropezó con otro más mísero que él. Éste cogió las hierbas arrojadas por aquél.

un paraíso, va dejando de ser 'naturaleza', aunque conserve
todavía, lógicamente, su fascinadora exuberancia vegetal.")

Bueno, pues estas inmigraciones de gentes inexpertas, que no
saben apretar un tornillo, a un mundo vigorosamente mecanizado
5 y automático, producen, instantáneamente, su propio desplazamiento. Viven en Norteamérica pero en la orilla;[7] no llegan a
entrar en ella. Proceden de la total indigencia y arriban a Nueva
York para fregar platos o cobrar los subsidios de paro; esto es,
para sostenerse en pie.

10   Para los yanquis siguen siendo pobres pero ellos se sienten
satisfechos, puesto que siquiera comen. Otro tanto sucede con los
mejicanos que trabajan como braceros en los Estados del sur por
salarios mezquinos. Cuando uno no ha comido caliente en la vida,
el sentirse harto y embutido en un traje nuevo no le permite pensar
15 en la habitación, la asistencia médica, o el futuro, pero no porque
deje de pensarlo desaparece el problema, ni deja éste de ser extenso — afecta por lo menos a treinta millones de norteamericanos, como dije — ni grave.

Mas el contingente de pobres en Norteamérica no procede
20 solamente de la población negra, el éxodo puertorriqueño, ni la
inmigración de hispanoamericanos. Hay pobres natos y pobres a
quienes la rauda expansión industrial ha conducido a esta situación. Hay montañeros y granjeros — propietarios — cuyos ingresos no alcanzan para un decoroso vivir. Hay campesinos desplaza-
25 dos por las máquinas que no hallan en la ciudad un salario suficiente. Hay trabajadores eventuales — camareros, cocineros,
friega-platos — que no encuentran cobijo en los sindicatos ni en
el sistema de seguridad social establecido. Hay especialistas,
conocedores de un oficio complejo, a quienes un "crac" económico
30 dejó cesantes y la reactivación no les sirvió de nada porque cuando
se produjo eran ya demasiado viejos — cuarenta años o más —.
Hay, en fin, ese inframundo de los alcohólicos, los drogados, los
débiles mentales, los incapaces que pululan por las ciudades,
arrastrando su angustia y su sordidez. Estos hombres son la
35 escoria de una sociedad satisfecha. Pero ante ellos uno se pregunta:

¿Son pobres porque son viciosos o son viciosos porque son pobres? ¿Qué fue antes, el vicio o la miseria? ¿Refugiaban en el alcohol su pobreza o accedían a la pobreza por el alcohol? ¿Abandonaron la sociedad o fueron antes abandonados por ella? Es
5 obvio que en las respuestas a estas interrogantes se encuentra la base del problema. (Ya es un indicio el que más de un millón y medio de americanos sean detenidos anualmente por borrachera escandalosa o conducir un automóvil embriagados. Si tenemos en cuenta que el exceso alcohólico no suele exteriorizarse en USA,
10 llegaremos a la conclusión de que el alcohol ocasiona en aquel país hondos estragos. Y otro tanto cabría decir del comercio y consumo de drogas.)

Resumiendo, la industrialización de los Estados Unidos ha producido unos resultados brillantes permitiendo que el 85 por
15 100 de su sociedad alcance un nivel de vida muy desahogado. Mas, al propio tiempo, el proceso selectivo de la máquina se muestra cruel e implacable. Este proceso selectivo no admite recurso y el que queda al margen — mientras no se alteren ciertos supuestos — jamás podrá parear su paso al apresurado paso de la
20 sociedad en que vive. De este modo, treinta millones de americanos han quedado rezagados, a un paso de la abundancia pero sin posibilidad, por el momento, de acceder a ella. Éste, entiendo, es el problema de la pobreza yanqui, sí que sucintamente planteado.

MODISMOS

1. **con creces**   in abundance
2. **valen para remediar un bache**   they are useful for remedying a hole; *that is* they (the wages) provide security from dire need
3. **Esta es una verdad que no hay quien la mueva.**   This is an undeniable truth.
4. **está en lo cierto**   is right
5. **da para todos**   there is enough for all

6. **buena falta venía haciendo**   (a book like this one) was badly needed
7. **en la orilla**   on the fringe of society

EJERCICIOS

I. *Contestar:*

1. ¿Cómo se difiere la pobreza americana a la de otros países?
2. ¿Quiénes son pobres en USA?
3. Con respecto al salario mínimo, ¿qué se concluyó?
4. ¿Cuáles son las características de la pobreza americana?
5. ¿Por qué resulta la pobreza estadounidense más hiriente y deplorable que la del indio? ¿Qué circunstancia acrece la sensación de insuficiencia?
6. ¿Hay muchos americanos pobres?
7. ¿En qué sentido es remediable la pobreza americana?
8. ¿Cómo se explica la calidad invisible de la pobreza?
9. Describir el modo de compartir una vivienda en barrios pobres.
10. ¿Por qué resultó una concentración de negros y puertorriqueños en ciudades como Nueva York?
11. En general, ¿de qué desea disfrutar el puertorriqueño?
12. ¿De dónde procede el contingente de pobres?
13. ¿Cómo se muestra cruel e implacable la máquina?
14. ¿Qué ocurre al individuo que queda al margen de la sociedad?

II. *Escribir en español:*

The automatic world of the USA seemed cruel to Delibes. He knew that many farmers were displaced by machines, that immigrants like the Puerto Ricans and Mexicans did not have technical training, that Negroes, victims of racial attitudes, could not find jobs easily. He also pointed out that frequently specialists in a complex craft were also displaced and were unable to find other work because they were too old. He saw all these people living at the edge of their society.

President Kennedy faced the problem of the poor and a study was made of what constituted a minimum salary. But the young President did not have enough time to resolve this problem because of his assassination. Therefore President Johnson, his successor, had the floor and had to decide many things.

American poverty is invisible, in good part at least. People seem to have food and clothing but in the dwellings of poor neighborhoods, one meets misery and anguish, filth and illness. Four or five families live in very small apartments in a building with a brick facade and a good appearance. No one would ever believe that inside there is a kitchen for five families and a toilet on the staircase for eighty persons. In the USA, the poverty seems worse because the remedy is close-by and the majority of the population enjoys a comfortable level of living.

In order to remedy somewhat the nation's poverty, one needs racial integration, technical schools for white and Negro adults, and medical care for the underworld of alcoholics and drug addicts. The mentally ill also need help. There is much **work** to do.

XVII
LA MUERTE DISFRAZADA

Si importante es, a la hora de tomar las medidas de un país, observar la suerte de los vivos, el viajero estima que es aún más revelador observar la suerte de los muertos. "Dime cómo se muere y se entierra la gente de un país y te diré cómo es ese país" pudiera
5 ser una ampliación plausible de un acreditado — aunque no muy fidedigno — refrán nuestro. El caso es que desde los egipcios a nuestros días el trato que reciben los muertos viene a resultar para arqueólogos, historiadores y sociólogos un dato muy expresivo para estudiar un determinado grupo social. Así podemos decir que
10 si la historia del antiguo Egipto ha salido de sus tumbas, la historia de los modernos Estados Unidos puede salir de sus Funeral Homes.

La prosperidad material de los norteamericanos queda demostrada con sólo observar su antipatía hacia la muerte, actitud que
15 revela que en este mundo se hallan tan a gusto que, en buena parte, no echan de menos otro, ni aspiran a él. Por otro lado, la movilidad mercantil de este pueblo, su dinamismo para la especulación, se revela en el hecho de que también a costa de los muertos se han levantado allí suculentos negocios. Pero éste es un aspecto de la
20 vida norteamericana — la muerte es al fin y al cabo, la punta de la vida — que conviene desarrollar con un cierto orden.

Decididamente éste es un pueblo a quien la sola mención de la muerte no le es grata. Y no creo que esto sea nuevo, ni que tal afirmación resulte sorprendente para nadie. Para un pueblo dominado por la confortabilidad, morirse viene a representar 5 perderla (perder la confortabilidad y todo lo que ella arrastra consigo). Por contra en un pueblo famélico y miserable, la muerte — aun sin necesidad de creencias religiosas — viene a representar una liberación. No se trata sólo de cambiar este valle de lágrimas por un mundo sin penas ni necesidades — punto de fe que apun- 10 tala la resignación del creyente — sino de que enajenar estas penas y necesidades ya implica, en sí mismo, desprenderse de algo malo. Esto supone que tan explicable como que el fenómeno de la muerte repela al norteamericano, es que al indio o al vietnamita, le tenga sin cuidado y ante él, adopte una postura de fatalismo e indiferen- 15 cia. La vida empieza a ser estimable cuando uno tiene algo que perder con ella.

No encierra, por tanto, nada de extraño, que el yanqui rehuya la idea de la muerte (insisto en que generalizar es errar; estoy hablando, no hace falta decirlo, de ese amplísimo sector de la 20 sociedad americana cuya religión es el "confort"); de que todo lo que roce con la muerte se eche en USA a barato,[1] se disimule o se puerilice.[2] Y si la muerte existe — e inevitablemente sucede así — de lo que hay que tratar es de que no lo parezca; de que no tras- cienda; en una palabra, de alejar esta idea a fin de que no nos 25 amargue los cuatro días que ha de vivir uno.*

Esto explica el que el día de difuntos[3] — el Halloween — cons- tituya en los Estados Unidos una fiesta infantil. Los disfraces y las travesuras de los niños aventan los fantasmas. Por ello, en lugar de visitar panteones y acarrear flores a los cementerios, el 30 día de difuntos — el 31 de octubre† — se celebra con una masca- rada infantil. Naturalmente, la muerte es la protagonista de este día, pero desde el momento en que su idea se asocia al niño y a los caramelos, la muerte deja de ser lacónica y amarga (los dis-

---

* **los cuatro días que ha de vivir uno** el breve tiempo que ha de vivir uno.

† **el 31 de octubre** En Europa y en las Américas, el día de difuntos ocurre el 2 de noviembre; es un día solemne y conmemorativo a los muertos.

fraces de los niños se inspiran en lo tétrico en esta fecha: las cala-
veras y los huesos mondos son los atributos más usuales). Y tan
típico como esto, es la calabaza vacía — con unos huecos que la
imprimen una expresión terrorífica al depositar dentro de ella una
5 candela encendida — colocada en el marco de la ventana, dando
cara a la calle. El día de difuntos es, pues, un divertimiento espectral; algo que nadie toma en serio; un juego. Los niños desfilan al
anochecer de casa en casa, recogiendo golosinas, y los municipios
conceden unos premios a los disfraces más ingeniosos. En resumen,
10 que si los viejos son dos veces niños, en Norteamérica, los muertos — los espectros — lo son tres.

Esta idea central de alejar a la muerte, adquiere una aplicación
rigurosa cuando la muerte se produce. En los Estados Unidos la
muerte no entra en casa. Los muertos, en un país bien organizado
15 como éste, disponen de alojamientos especiales. El más alto porcentaje de americanos mueren en el hospital (consta que esta costumbre de hospitalizar al enfermo grave, me parece mucho más
racional, sensata y humana, que la nuestra de no despegarnos de
él, pues al amparo de una satisfacción sentimental, dificultamos no
20 ya la atención que precisa sino, en ocasiones, su restablecimiento).
Pero una vez muerto, el americano no vuelve al hogar, no tiene
ya sitio allí. Ante un muerto hay que hacer dos cosas en América:
alejarle de casa y disimularlo, esto es, disimular que está muerto,
devolverle todo (expresión, color, brillo a los zapatos) menos,
25 claro está, la sensibilidad y el movimiento.

Para esto se erigen en todas las esquinas del país los Funeral
Homes, que vienen a ser los Hogares de los Muertos, no de todos
los muertos, sino de los muertos calientes, de los muertos en tránsito del hospital al cementerio. Estos hogares, muy bien aseados —
30 algunos, elegantísimos —, disponen de grandes salones, donde a
horas determinadas, señaladas en los periódicos, la familia del
finado recibe a sus amistades con el muerto de cuerpo presente.
Estos hogares están para eso, exclusivamente para eso, de forma
que los más acreditados, pueden simultanear una docena de duelos
35 sin que entre los familiares y amigos de los respectivos difuntos se

produzca el menor contacto. Uno pregunta en la puerta: "D. Fulano de Tal,[4] que murió el jueves", y el conserje, elegantemente uniformado, nos dirá: "Primer piso, habitación número 8".

El Funeral Home no es, pues, la última morada, sino la penúl-
5 tima. El cadáver, cuidadosamente embalsamado, acicalado, peinado, pintado, será exhibido durante dos días, o tres, o cuatro, o media docena. Todo es cuestión de dólares. La fuerza del negocio es en Norteamérica una fuerza avasalladora y de nada han valido hasta ahora las protestas de la razón y la sensatez. El servicio
10 fúnebre sigue en manos de especuladores, de vivos que medran a costa de los muertos (un libro reciente, "Lo que cuesta morirse", desmonta todo el tinglado mortuorio organizado en USA. La obra ha constituido un "best-seller" y las opiniones del autor son compartidas por la mayor parte del pueblo americano, pero, que
15 yo sepa, hasta el momento, no se ha traducido en resultado positivo alguno). El caso es que el dueño del Funeral Home, tan pronto se presenta un parroquiano — o, mejor, el familiar de un parroquiano —, le preguntará: "Usted quería mucho a su padre, ¿no es cierto?" Lógicamente el cliente responderá que sí y, entonces el
20 "funeralista" le dirá que por quinientos, seiscientos o mil dólares va poco menos que a devolverle a su padre;[5] es decir, su padre — el del cliente — dentro de unas horas, estará presentable y rozagante, a excepción de que no hablará, tal y como si no se hubiese muerto[6]: y si se tiene en cuenta que su procedimiento
25 de embalsamar es mejor que ningún otro, y sus féretros impermeables, su padre se conservará así hasta el final de los siglos. Y como sobre el cliente operan fuertes razones sentimentales, viejos hábitos, respetos humanos y todo lo que en el mundo opera sobre los mundanos, terminará aceptando. (Ésta es una cadena
30 que uno no sabe dónde puede terminar. Se me dice que en un punto del sur, una viuda caprichosa, hizo embalsamar a su marido arrellanado en su butaca predilecta, los lentes sobre la nariz y un periódico entre las manos. Guillermo Díaz Plaja,* con quien pasé unas

---

* **Guillermo Díaz Plaja**   catedrático español y literato erudito.

horas en Washington, me recordaba aquello del anuncio representando a un hombre con los ojos plácidamente cerrados y la leyenda
al pie: "¿Dormido? ¡No! ¡Muerto y bien muerto pero embalsamado por el Funeral X!" Chiste o no, es evidente que la co-
5 mercialización con la muerte ha rebasado la raya en USA y que en
este extremo, está más que justificada la protesta social tendente a
una simplificación y una mayor seriedad del servicio.)

En cualquier caso, las atenciones de los Funeral Homes no
concluyen ahí. Los ataúdes son — para quienes lo deseen —
10 auténticas camas, con su colchón, sus sábanas y su manta. Al
muerto se le arropa como a un niño que se dispone a dormir.
Como puede verse, el americano — algunos americanos — han
tomado aquello del eterno descanso al pie de la letra.

Otra prueba — ésta de muy buen gusto — de la aspiración
15 yanqui por despojar a la muerte de sus atributos luctuosos, nos la
dan las esquelas de los periódicos. De ordinario son noticias escue-
tas — a veces esquemáticas — sin esas orlas negras de un centímetro de ancho, que utilizamos los españoles, antes que para
homenajear al finado para expresar nuestra vanidad doliente y
20 vocear al pacífico lector que desayuna por la mañana la terrible
admonición: "Recuerda que eres polvo y en polvo te convertirás."
En este punto el anhelo del americano por ahuyentar la idea de la
muerte le ha rendido un eficaz servicio. Ello no quita[7] para que el
barroquismo retórico de algunas familias se desahogue en las
25 páginas necrológicas, a tanto la línea, en versos como éstos:

> *Sincera y amable en corazón y mente*
> *¡Qué recuerdo más bello nos dejó!*
> *(Murió hace 20 años. Sus hijos, nietos, etc.)*

O bien:

30   *"En memoria de mi hijo, muerto hace diez años:*
> *Descansa en Paz, Eduardo querido,*
> *es dulce pronunciar tu nombre.*

En vida te quise mucho;
en muerte, igual."

Pero, de ordinario, las necrológicas yanquis son ponderadas y sobrias. Anoto al respecto, dos peculiaridades: el yanqui, antes
5 que las virtudes del muerto, atiende a su perfil profesional; a su eficiencia en el trabajo. Por otra parte, los menesteres más prosaicos, se disfrazan con títulos rimbombantes, socorridos eufemismos que designan el barrendero como "técnico de limpieza" o al portero como "funcionario del Ministerio Tal".[8] (Dos notas más
10 dignas de ser imitadas: Los amigos del difunto, en los Estados Unidos, no testimonian su dolor con flores. Allí es frecuente que a los pocos días del fallecimiento la familia doliente reciba una esquela de la parroquia en la que se puntualizará que "por encargo de D. Fulano de Tal el próximo día tantos,[9] se oficiará una misa o un
15 oficio fúnebre por el eterno descanso del alma de D. Mengano de Cual recientemente fallecido". El oficio, por supuesto, ha sido organizado por uno o varios amigos del muerto. Otro detalle: éste más prosaico, pero no menos ejemplar, se refiere al buen orden de la comitiva fúnebre. Los coches que asisten al sepelio — al menos
20 en muchas ciudades — marchan con las luces dadas[10] en pleno día de tal forma que la hilera no se corte y los asistentes no se despisten. La comitiva doliente, tiene preferencia; una preferencia que es rigurosamente respetada; como la de las ambulancias o la de los coches de bomberos. Contra ella nada pueden los semáforos.
25 De este modo se evita la confusión que, por ejemplo, se produce en Madrid en los entierros multitudinarios, donde de hecho es frecuente que un provinciano que llegó con la piadosa intención de acompañar a un amigo al camposanto, aparezca de pronto en el Estadio de Chamartín en vez de en la Sacramental de San Isidro.)
30 Con afeites y perfumes, con las uñas hechas y el pelo bien peinado, con su colchón y sus sábanas, el yanqui termina donde todos terminamos: en el cementerio. Ahora bien, los cementerios americanos, como sus esquelas y su día de difuntos, carecen de toda gravedad romántica, de toda rigidez fúnebre. Esto lo han conse-

guido a base de eliminar cipreses y panteones; los cementerios
yanquis no son productos de cantería; lo mineral, en ellos, es
accesorio: las lápidas y las tumbas han sido sustituidas por una
pradera; una pradera jugosa y asimétrica, con paseos y declives,
5 y árboles de diferentes especies. Al eliminar la arista, la geometría
y la piedra, los cementerios se convierten en auténticos remansos
vegetales para los muertos. No conservan nada del tradicional
agarrotamiento europeo; en suma, están, también, disimulados.
En Arlington una pequeña lápida de cincuenta centímetros sobre
10 la hierba sirve para identificar una tumba. En algunos cementerios
de Virginia, incluso se ha desterrado la piedra: un ramo de flores,
una planta, una pequeña cruz, son las únicas referencias autoriza-
das. Esto justifica el hecho de que los cementerios — que, repito,
son jardines con muertos debajo — se alcen en medio de las
15 ciudades. (La iglesia de la Trinidad, en Wall Street, el corazón de
Nueva York, está circuida por un antiguo y bellísimo camposanto.
En la Universidad de Bloomington — Indiana — al asomarme
a la ventana de mi cuarto, en el hotel, divisé, al pie, un recoleto,
discreto cementerio.) Es obvio que entre su naturaleza vegetal, la
20 vecindad con el mundo de los vivos, y las ardillas que corretean
por ellos — la ardilla es, sin disputa, el símbolo de la viveza y la
agilidad — todo tono frío y envarado, todo simbolismo funerario,
queda automáticamente desterrado de estos lugares. Lugares — los
cementerios — que pueden también ser explotados por los par-
25 ticulares como un negocio. Es decir, que el americano que se
canse de ensayar trigo, cebada y sorgo híbrido en sus campos,
puede un día decidir, sin más preámbulos, dedicarse al cultivo
de cruces y de lápidas. Y hasta puede que le resulte más rentable.

MODISMOS

1. **se eche en USA a barato**   is sneered at in the USA
2. **se puerilice**   becomes childish
3. **el día de difuntos**   All Souls' Day (*here* Halloween)
4 **D. Fulano de Tal**   Mr. So-and-so

5. **va poco menos que a devolverle a su padre** he can practically restore his father alive
6. **a excepción de que no hablará, tal y como si no se hubiese muerto** except for the fact that he will not speak (he will appear) as if he had not died
7. **ello no quita** it does not prevent
8. **Ministerio Tal** such and such a Ministry
9. **el próximo día tantos** in so many days
10. **con las luces dadas** with headlights shining

EJERCICIOS

I. *Contestar:*

1. ¿Por qué observan los norteamericanos una antipatía hacia la muerte?
2. ¿Cómo refleja USA su dinamismo para la especulación ante la muerte?
3. ¿Qué viene a representar la muerte en un pueblo miserable?
4. Describir el día de difuntos en USA. ¿Cómo se observa en España?
5. ¿Dónde muere el más alto porcentaje de americanos?
6. ¿Dónde se lleva el difunto antes del entierro?
7. ¿Cómo se da la ilusión de un cadáver vivo?
8. ¿Cómo simultanean tantos duelos los Hogares de los Muertos?
9. ¿Cómo resulta tan caro el servicio fúnebre?
10. ¿De qué se trató el cuento de la viuda caprichosa?
11. ¿Qué anuncio vio Guillermo Díaz Plaja?
12. ¿Cómo son los ataúdes?
13. ¿Cómo se difieren las esquelas en los periódicos españoles y norteamericanos?
14. ¿Cómo son las necrológicas yanquis? ¿A qué atienden?
15 ¿Cómo marchan los coches que asisten al sepelio? ¿Qué es la ventaja de este sistema?

16. ¿Qué ocurre a menudo en Madrid en los entierros multitudinarios?
17. ¿Cómo se difieren los cementerios yanquis a los europeos?
18. Describir el camposanto que Delibes vio en la Universidad
de Indiana.

II. *Escribir en español:*

There are different attitudes toward All Souls' Day in Spain and
in the USA. In Spain, All Souls' Day is a solemn and serious day
when one visits the cemetery to place a bouquet of flowers on the
tomb of a relative or to leave it at the family mausoleum. But in
the United States, the day becomes a childish masquerade. Children wear disguises and march from door to door in their neighborhoods to ask for sweets for themselves and money for poor
children of other countries. Nothing is taken seriously except the
money one collects for the poor children. There is a festive air
with pumpkins, lighted inside with candles and placed on window
sills facing the streets. One cuts hollows for the eyes, nose, and
mouth of each pumpkin so that it seems to be a spectral amusement.

Even as a child, the American learns an antipathy toward death
and does many things to conceal its presence. There are funeral
homes where the body is embalmed and dressed, the hair combed,
the nails polished, the face painted, and even the shoes polished.
The deceased is placed in a coffin with mattress, sheets, and a
blanket as if it were resting in a bed. One tries to conserve a live
cadaver.

After the funeral service, the body is taken to the cemetery,
which looks like a meadow with its beautiful grass and flowers,
and only a small tombstone to mark the place of burial. There is
peace, beauty, even a sense of life, with the presence of singing
birds, trees of different kinds, and sometimes squirrels running
around. This kind of cemetery is different from many Spanish
cemeteries, where one finds a traditional jamming, many cypresses,
mausoleums, and elegant gravestones.

Verdad o Mentira
Capítulos XI–XVII

Según Delibes:

1. Los platos americanos representan un arte plástico y han dejado de ser un arte culinario.
2. Es difícil encontrar en Europa alimentos tan rigorizantes como la leche, el queso, la carne, las frutas de USA.
3. Los españoles desayunan opíparamente como los norteamericanos.
4. La jornada laboral estadounidense no sufre interrupción por causa del estómago.
5. Las neveras y los frigoríficos son los aglutinantes de la familia americana.
6. El horno causa lumbago en USA y por eso no se lo usa mucho.
7. El "vive como quieras" encuentra una aplicación estricta en los Estados Unidos.
8. Antes de permanecer en silencio, el latino es muy capaz de hablar consigo mismo.
9. Las universidades norteamericanas son lujosas.
10. El divorcio es el mejor método para resolver problemas domésticos.
11. Unos científicos europeos se han inmigrado a USA principalmente porque encuentran un ambiente político más libre donde trabajar.
12. Se encuentran universidades particulares y estatales en USA.
13. A los estudiantes norteamericanos les falta una cultura general, lo que resulta en la formación de grandes cerebros desequilibrados.

14. No se nombran los profesores en Europa para una disciplina sino para quince alumnos.

15. Los estudiantes europeos acumulan horas en vez de conocimientos a base de cursos.

16. Al español le falta suficiente confianza en el hombre.

17. Muchos estudiantes españoles trabajan mientras que estudian.

18. El universitario americano es indiferente a la integración social y no participa en las demostraciones.

19. El negro tiene prisa por ser igual al blanco.

20. Todos los negros son de la religión mahometana porque no es una religión de blancos.

21. Se precisa la tolerancia si no el amor para resolver las luchas raciales.

22. Los jóvenes norteños aprovecharon sus vacaciones de verano en 1964 para enseñar al negro sureño la significación de la ley de Derechos Civiles.

23. La comida es accesible a todos en USA.

24. La pobreza estadounidense es invisible y remediable.

25. La pobreza americana no resulta más deplorable ni hiriente que la de otros países.

26. Los puertorriqueños llegaron a Nueva York porque el gobierno estadounidense les invitó a trabajar allá.

27. El entierro de los muertos en España es más sobrio que en USA.

28. Los camposantos estadounidenses se parecen a praderas con mucha hierba, árboles de diferentes especies y lápidas muy pequeñas.

29. Los norteamericanos escriben esquelas sentimentales en las páginas necrológicas de los periódicos.

30. Siempre el norteamericano es esclavo de la masificación.

VOCABULARIO

The following have been omitted from this vocabulary: forms of regular verbs and those of the most commonly-used irregular verbs unless they appear in the text in an unfamiliar sense (such as **vayamos**, which is listed under **ir**); regular past participles if the corresponding infinitive is given; articles, personal pronoun objects, possessive adjectives and pronouns; some proper names already explained in chapter notes and those not requiring translation or explanation; almost all obvious cognates; most adverbs ending in -**mente** when the corresponding adjective is given; words for most numbers; some words which students can be expected to have absorbed in elementary courses.

Idiomatic expressions are listed under the key word; however, they are not given if they appear only once in the text and an explanation has been provided in the chapter where they occur.

The gender is not given for masculine nouns ending in -**al, -el,- én, -és, -in, -ín, -o, -ón,** and -**or,** or for feminine nouns ending in -**a, -ción, -dad, -ez, -tad, -tud,** and -**umbre.** If the meanings of a word vary according to its gender (like **ordenanza**), both genders are listed. Plural forms of nouns are given only when their meanings differ from those of the singular (e.g., **ingreso, ingresos; cristal, cristales**).

An attempt has been made to give as many English equivalents for each word as there are nuances of meaning in the text.

Words which are used both as adjectives and nouns are so designated.

The following abbreviations are used:

adj.	adjective	*coll.*	colloquial
adv.	adverb	*conj.*	conjunction

f.	feminine	*pl.*	plural
fig.	figurative	*p.p.*	past participle
inf.	infinitive	*sing.*	singular
m.	masculine	*v.*	verb
n.	noun	*var.*	variation

abajo below; **de — arriba** from bottom to top

abandono abandonment

abarcable surrounding, encompassing

abastecer to supply, provide

abecedario alphabet

abeja bee

abierto open

ablandar to soften, relent

abogado lawyer

abonar to improve, fertilize

abono manure, fertilizer

abordar to approach; to dock

abotagar to swell up

abrir to open; **— la guardia** to lose one's reserve

abrochar to clasp, button

abrumador wearisome, oppressing

abrupto rugged, rough

absorto absorbed

abstener to abstain

abuela grandmother

abuelo grandfather; **–s** grandparents

abulia apathy

abultado bulky, massive

aburrido weary, boring

abuso abuse

acabar to finish; **— de** to have just

acaecer to come to pass

acallar to quiet, silence

acarrear to carry, transport

acaso perhaps

acceder a+*inf.* to agree to

acceso access, approach

accesorio accessory

accionar to drive (*car*)

aceite *m.* oil

acentuar to accentuate

aceptación acceptance

aceptar to accept

acera sidewalk

acercarse to come near, approach

acero steel

acertado figured out correctly

acertar to guess right; to succeed; **— a+***inf.* to happen to

acicalado dressed, dressed up

aclarar to explain, clarify

aclimatado acclimated, assimilated

acogedor protective

acoger to accept, welcome, receive; **–se (a)** to take refuge (in) acolchado intertwined

acometer to attack; to undertake

acomodado well-to-do

acomodar to accommodate

acomodaticio accommodative; obliging

acompañar to accompany

acontecer to happen; come about

acopio gathering, collecting

acorazado iron-clad

acorde *m.* harmony

acosar to pursue, harass

acoso harassment

acostado reclining; lying down

acostarse to go to bed

acostumbrar to accustom; — a +*inf.* to be accustomed to; -se a+*inf.* to become accustomed to

acotamiento boundary mark

acotar to mark out

acrecer to increase

acreditado accredited, reputable

acreditar to do credit to

acreedor creditor

acta: — de matrimonio marriage certificate

actitud attitude

acto event, public function; en el — at once, on the spot, immediately

actuación behavior, activity

actual actual, present, of today

actuar to act

acuciado prodded, harassed

acudir a+*inf.* to come to

acuerdo: de — in accord

acumular to accumulate

achatado flattened

adecentando making decent or proper, tidying up

adecuado adequate

adelantar to advance; get ahead of

adelante ahead, forward; más — farther on, later

adelanto advance, progress

ademán *m.* gesture

además besides, moreover

adentrar to enter; go within; go into

adherir to adhere

adivinar to guess

admiración esteem, admiration

admirar to esteem, admire

admitir to admit

admonición warning; admonition

adolecer to become ill; — de to suffer from

adormecido put to sleep, calmed, quieted

adosable attached

adquirir to acquire

aduana customhouse

aduanero customhouse officer

aducir to adduce

adversidad adversity

adverso adverse

advertir to observe, take notice of, notice

aeropuerto airport

afanosamente anxiously, eagerly

afectar to affect, afflict

afectivo emotional; affective

afecto affection

afectuoso affectionate

afeitar to shave

afeite *m.* make-up, cosmetic

afición fondness, liking, taste

aficionado *adj.* fond; *n.* fan (*of sports, etc.*)

afín related

afinar to polish, refine, perfect

afirmativamente affirmatively

aflojar to relax, loosen, slow up

afortunadamente fortunately

afrontar to confront, meet face to face

afueras *pl.* outskirts, suburbs

agarrar to seize, grasp

agarrotamiento jamming

agarrotar to get numb, get stiff, bind

aglutinante *adj.* cementing; *m.* cementing material *or* factor

agobiante oppressive, exhausting

agobio burden

agraciado charming, nice

agradar to please, gratify

agradecer to be grateful for, thank for

agradecido grateful

agresividad aggressiveness

agrónomo agronomist, agrarian

agrupación group, grouping

agua water

aguantar to sustain, endure, tolerate

aguardar to wait (for)

agudeza acuteness

agudizado sharp, aggravating, agonizing

agudo sharp, acute

aguja needle

ahí there; **de — que** with result that; **por —** that way

ahogar to choke, suffocate, drown

ahora now; **— bien** now then

ahorrar to save, economize

ahuyentar to put to flight; **–se** to flee

airoso graceful, airy

aislado isolated

aislador isolating

aislamiento isolation

ajedrez *m.* chess

ajeno foreign, another's, remote

ajetreo bustle

ala wing

albergar to lodge, house, shelter

alboroto riot

alcance *m.* reach; **al — de** within the reach of

alcantarillado sewage system

alcanzar to reach; — **para** to be sufficient for
alcohólico alcoholic
aldeano *adj.* rustic, village-like; *n.* villager
aleccionado trained, instructed
aleccionador enlightening
aleccionar to coach, instruct
aledaño border, boundary
alegremente happily, gaily
alejar to move away, keep at a distance
alemán German
Alemania Germany
alentador encouraging
alevosamente treacherously
alfiler *m.* pin
alfombrar to carpet
algo somewhat, rather; something
aliado allied
aliciente *m.* attraction
alimentar to feed
alimento food
alineación alignment
alinear to line up
aliviar to alleviate, ease, lighten
alma soul
almacén department store, store
almacenar to hoard, store, file
almorzar to lunch
alojamiento lodging, housing
alojar to lodge, house
alquiler *m.* rent
alrededor de around, about

alrededores *pl.* environs
alterar to alter
alternativamente alternately
altisonante high-sounding
alto high
altura height; **a estas —s** at this point
aludir to allude
alumbrar to illuminate
aluminio aluminum
alzar to raise, erect
allá there; **más —** farther away, farther on; **más — de** beyond
allí there
ama: — de casa housewife, lady of the house
amabilidad amiability
amanecer *m.* dawn; *v.* to dawn
amapola poppy
amargar to embitter
amargo bitter
amarillo yellow
ambiente *m.* environment
ambos both
amenaza threat
amenizar to render pleasant, add charm to
americana: a la — in the American style
amistad friendship
amontonar to pile up, crowd, accumulate
amor love
amparo protection

ampliación amplification, extension

ampliamente fully

ampliar to amplify

amplio ample, wide

amura beam of ship at one-eighth of its length, measured from bow

amurallar to wall in

analizar to analyze

análogo similar

anárquicamente in a disorderly manner

anciano old

anclado anchored

ancho wide; **de —** in width

anchura width

andaluz *m.* one from Andalucía, Andalusian

andar (a pie) to walk

andariego wandering, roving

anejo annexed, attached

anglosajón Anglo-Saxon

angula young eel

angustia anguish

angustiado distressed

angustioso distressed, grievous

anhelar to desire ardently

anhelo desire, longing

animadversión enmity, ill will

ánimo courage, spirit

anís *m.* anise seed

anochecer *m.* dusk, twilight; *v.* to grow dark

anomalía anomaly, deviation from rules

anonadar to overwhelm

anotar to note, point out

ansia anxiety, eagerness

antaño long ago

ante before, in the presence of

anteceder to precede

antecesor ancestor

antedicho aforesaid

antelación planning, precedence in order of time; **de —** in advance

antemano: de — beforehand, in advance

anterior prior, former

antes formerly; **— de** before

antevíspera the day before yesterday

anticipo anticipation

antiguo old

antipatía antipathy

antojarse to long for, take a sudden fancy to; **antojársele a uno**+*inf.* to take *or* have a notion to

antorcha torch

anual yearly, annual

anular to annul, cancel; **— el tiempo** to make time disappear

anunciar to announce

anuncio advertisement

añadidura addition; **por —** in addition

añadir to add

año year
añorar to long for, miss
apabullar to crush
apacibilidad gentleness, peacefulness, mildness
apacible peaceful, quiet, still
apaleado cudgeled, thrashed, beaten
aparato apparatus, machine
aparatoso ostentatious, showy
aparcamiento parking lot
aparcar to park
aparecer to appear
aparejado suitable, fit
aparentemente apparently
apariencia appearance
apartado *n.* post office box; section; *adj.* turned aside, pushed away
aparte: — de que apart from the fact that
apasionadamente passionately
apear to remove, overcome; **–se** to alight, dismount
apegado grown attached, grown fond
apelar to refer, have recourse to
apellido surname, family name
apenar to cause pain *or* sorrow; to grieve
apenas scarcely, hardly; **— si** hardly, scarcely
aperitivo appetizer
apertura opening
apetecer to long for, desire

apetitoso appetizing
apiñado crowded, packed
aplacar to calm, pacify
aplastar to crush, flatten
aplaudir to applaud
apocado humble
aportación addition, contribution
apoyarse en to lean on
apremiar to press; urge; to compel
apremio pressure; constraint
aprendizaje *m.* apprenticeship
apresurado hasty, hurried
apresuramiento eagerness, haste
apresurar to hasten, hurry; **–se a+**_inf._ to hurry to
apretadamente tightly, closely
apretado compact, close, tight, strict
apretar to tighten, press; to afflict
aprieto difficulty
aprobación approval
aprobado *n.* passing grade; *adj.* approved
aprobar to pass a course; to approve
apropiado appropriate
aprovechar to make use of; **–se de** to take advantage of
aproximado approximate
aproximar to come near, approach; to approximate
aptitud aptitude

apuntado indicated

apuntalar to prop up

apuntar to point out

apunte *m.* memorandum, sketch, note

apuñalar to stab with a dagger

apurar to hurry; to worry, annoy

apuro predicament, difficulty

aquí here; de — hence

aquilatar to examine closely, assay

arado plough

árbol *m.* tree; — de navidad Christmas tree

arce *m.* maple tree

archivado filed away, deposited in archives

ardid *m.* artifice, trick

ardilla squirrel

arduo arduous, difficult

argucia scheme, deceit, trick

argüir to argue

argumento plot (*of a story*)

arista edge; —s salient angles

arma: — blanca steel blade, sword

armar to put together; to establish

armonía harmony

armónico harmonious

arqueado arched

arqueólogo archeologist

arraigado deeply rooted

arraigar to root, establish

arranque *m.* impulse

arrastrar to crawl, creep; to drag

arrastre *m.* dragging

arrebatar to tear away, snatch

arrebato rapture, ecstasy

arrebol *m.* red sky; —es red clouds

arreglar to arrange

arreglo arrangement

arrellanado sprawled in one's seat, seated at ease

arremeter to attack

arriba above, high; de — a abajo from top to bottom, up and down; más — above, further back

arribar to arrive; to reach, land

arriesgado dangerous

arrojar to throw

arropar to wrap up; —se to bundle up

arroz *m.* rice

arrugar: — el ceño to frown

arrumbar to cast aside, sweep aside

artefacto appliance, fixture

arteria artery

artesanía craftsmanship

articular to articulate

asado *adj.* roasted; *n.* roasting

asador spit

asalariado wage earner

asar to roast

ascenso ascent

ascensor elevator

asco nausea, disgust, loathing

ascua live coal

aseado adorned, cleaned up, polished

asear to polish, embellish

asegurado: por — certainly

asegurar to assure

asemejarse a to be similar to, be like, resemble

asentar to establish

aséptico aseptic

asesinado assassinated

asesinato assassination

así thus, so

asiduidad diligence, persistence

asiduo assiduous

asiento seat

asignación salary

asignatura course

asilo home for old people, nursing home

asimétrico asymmetrical

asimismo in the same manner, likewise

asistencia aid

asistente *m.* the one attending, person present

asistir to assist, aid

asomar to stick out (one's head); **–se** to lean out

asombrar to astonish; **–se de** to be amazed at

asombro astonishment

asombroso astonishing, amaz-ing

aspecto aspect

aspereza harshness

aspiradora vacuum cleaner

aspirar to aspire, seek

astracán *m.* astrachan

astro star, leading light

astroso ill-fated, unfortunate

asunto matter

asustar to frighten

atajar to intercept, stop

atalaya height, elevation

atañedero concerning

atañer to concern

atar to tie, bind

atardecer *m.* late afternoon; *v.* to grow late

ataúd *m.* coffin

ataviado adorned

atender to be attentive to, attend to

atentado prudent, moderate

atenuar to attenuate, diminish

aterciopelado velvet-like

aterrizar to land

atestiguar to testify

atinado wise, keen, careful

atisbar to watch, observe

atisbo sign, token; watching, observation

atomización smallness

atonía lack of stress

atónito amazed, astonished

atracar to bring alongside

atraer to attract

atrás back, behind
atravesar to cross
atrayente attractive
atreverse a+*inf.* to dare to
atribuir to attribute
atributo attribute
atuendo pomp
auditorio audience
aula lecture hall, classroom
aumento increase
aun still, even
aún still, yet
aunque although
aureolar to adorn with a luminous glow; to glorify
aurora dawn
ausencia absence
ausentarse to be absent
auténtico authentic
autoanalizar to self-analyze
automático automatic
automatismo automation
automovilista *m. and f.* (automobile) driver
autónomo autonomous
autopista expressway, freeway
autor author
auxilio help
avasallar to subject
ave *f.* bird
avecinar to come near, approach, draw near
avenir to reconcile, agree; –se a+*inf.* to correspond to
aventar to drive away

avergonzar to shame
avidez eagerness
avión airplane
ayuda help
ayudar to help
ayuno deprived; uninformed
azotar to whip, lash
azul blue

babor port side of ship
bache *m.* rut, deep hole
bachillerato bachelor's degree; *Spain* pre-university studies
bailarín dancer
bajo under, underneath; low; **en —** below
bala ball, bullet, shot
balancín balance beam
baloncesto basketball
banco bank
banda side; ribbon
bandada flock of birds
bandeja tray
bañera bathtub
baño: — maría double boiler
baranda railing
barato cheap
barbería barbershop
barco boat, ship, ocean liner
baremo scale, table of rates
barquichuela small boat
barra rod, bar
barraca hut
barrendero sweeper (*person*)
barrer to sweep

barrera barrier
barriga belly
barrio neighborhood
barroquismo extravagance, or-
nateness
barruntar to guess
base *f.* basis; **a — de** on the
basis of
bastante enough, sufficient
bastar to suffice, be sufficient
basura refuse, garbage, trash
basurero trash collector
batalla battle
bautizar to baptize
bayeta floor mop
beber to drink
beca scholarship
beduíno Bedouin
belleza beauty
berrear to bellow
biblioteca library
bicho: — raro "rare bird,"
strange creature
bien *adv.* well, very; **— ... —**
either ... or; **— que** although; **si —** while, though
bien *m.* good; **-es** wealth
bienestar *m.* well-being
bienvenido welcome
bifronte double-faced
bisabuela great-grandmother
blancura whiteness
blanquear to bleach, whiten
bobo *n.* dunce; *adj.* stupid
boca mouth

bochorno sultry weather; em-
barrassment
boda wedding
bola: — de nieve snowball
bolsa bag, pocket
bolsillo pocket
borde *m.* edge, border; **al — de**
at the edge of
bordo: a — on board
bore *m.* large wave
borrachera drunkenness
borracho *n.* drunkard;
adj. drunk
borrar to erase
bosque *m.* woods, forest
botas: — de montar *pl.* riding
boots
botones *m.* bellboy
bóveda vault
bracero day laborer
bramido roar
brasero brazier; *fig.* hearth
bravucón braggart
brillo luster
brindar to offer
broche *m.* clasp, fastener
broma joke
brumoso foggy
bruñido polished
buey *m.* ox; beef
bufanda muffler, scarf
buitre *m.* vulture
bulto package, bundle
buque *m.* boat, ship
burlar to ridicule; **— de** to

make fun of
buscar to look for
busilis *m. coll.* difficulty
butaca armchair
butano butane
butaquita little seat
buzón letter box

cabalístico mystical, cabalistic
caballo: — **de batalla** battle horse, charger
caber to fit, have enough room; — +*inf.* to be possible to; **no cabe duda** doubtless, there is no doubt; **todo cabe en** anything can be expected of
cabeza head; **de** — on one's own, of one's own invention; — **de puente** bridgehead
cabina: — **telefónica** telephone booth
cabo end; **al** — **de** at the end of
cabriola jump, caper
cacahuete *m.* peanut
cacharrear to fall to pieces
cacharro crockery, earthen pot; useless, worthless thing
cacho slice, bit
cada (cual) each (one)
cadáver *m.* corpse
cadena chain
caduco expired, worn-out
café *m.:* — **ligero** weak coffee
cafetera coffee pot

caída fall
caja box, coffin
cajón big box
calabaza squash, pumpkin, gourd
calavera skull
caldo broth
calefacción heating
calentar to heat
calidad quality
calidez glow, warmth
cálido warm, hot
caliente hot
calificación grade, mark (*in an examination*)
calina haze
calor heat; (*fig.*) affectionate warmth
calva bare spot
calzada sidewalk, highway
calzar to put on shoes
callejuela side street, alley
cámara: — **de representantes** House of Representatives
Cámaras *pl.* Houses of Congress
camarero waiter, steward
camarón shrimp
camarote *m.* berth, cabin, stateroom
cambiante changing
cambio change
caminar to walk; — **en automóvil** to travel by car
camino road; — **de** on the way to

camisa shirt; **manga de —** shirt sleeve

camiseta undershirt

camisola ruffled shirt, stiff shirt

campiña countryside

campo: — de golf golf course

camposanto cemetery

can *m.* dog

cana *adj.* gray-haired; *n.* gray hair

canalla *m. coll.* cur, roughneck

canción song

cancha field, court

candela candle, light

candidez candor, innocence

cansarse de to grow tired of

cantante *m. and f.* singer

cantar to sing; **ya es otro —** that is another story

cantería stonecutting

capa layer, coating

capaz capable; **— para** with a capacity for, with room for

capillita small chapel

capital *adj.* principal

capitaneado directed, led, captained

capitolio capitol building

capítulo chapter

capricho caprice

caprichoso capricious

captar to capture, win

caracol *m.* snail

caramelo caramel

carburante *m.* that which con- tains hydrocarbon; fuel (*gas or liquid*)

carcomido decayed, impaired

cardo thistle

carecer de to be in need of, lack

carencia lack, want

carente de lacking, in need of

carga charge, burden

cargador loader, porter

cargar to carry; **— con** to walk away with, take upon oneself

cargo duty, responsibility

caricatura caricature

caridad charity

cariño affection

carnavalada carnival spirit

carne *f.* meat, flesh

caro expensive

carrera career, profession

carretera highway

carrito little cart

cartel poster, sign

cartela tag, label

cartelera billboard

cartelito little sign

cartulina light cardboard

casa: en — at home

casar to marry; **–se con** to get married to

casi almost

casita: — de madera little frame house

caso case; **en ningún —** in no way; **en todo —** in any case

casta caste system
castaño chestnut tree
castellano from the province of
  Castilla, Castilian
castigar to punish
castigo punishment
catedrático university professor
categoría category
cauce *m.* channel, river bed
caudal wealth, abundance
caudaloso wealthy, abundant
causa: a — de on account of
cautela caution
cauto cautious
cavar to dig
cebada barley
cebolla onion
ceder to slacken, yield
celar to conceal; to watch over,
  keep a check on
celo zeal
celular cellular
cementerio cemetery
cena supper
cenicero ash tray
centenar hundred
centeno rye
centímetro centimeter
centrar to center
céntrico focal, central
centro: al — downtown
ceñir to encircle, hem in
cepa strain (*of a family*)
cepillo brush; **— de dientes**
  toothbrush

cerca fence
cercado fence, fenced-in garden
cercano close
cercar to enclose, fence in
cerco fence, wall
cerda bristle
cerebro brain
cerrar to close
cerrojazo *n.* slamming the bolt
cesante *m. and f.* jobless, unemployed
cesar to cease
césped *m.* grass, lawn, sod
cetro scepter
cicatriz *f.* scar
cicerone *m.* guide
ciclo cycle
ciclón cyclone, hurricane
cielo sky, heaven
científico scientist
ciento one hundred; **por —**
  percent
cierto certain, sure; **estar en**
  lo — to be right; **por —** certainly
cifra figure
cimentar to lay the foundation,
  found
cimiento foundation, basis,
  ground work
cine *m.* cinema
cinta tape, ribbon, band
cintura waist, waistline
cinturón belt
ciprés cypress

circo circus
circuir to surround
circular to circulate
circundar to surround
circunstancia circumstance
cisne *m.* swan
ciudad city
ciudadano citizen
civismo patriotism
clamar to clamor
claridad clarity
claro clear; — está of course; — que no of course not
clase *f.* class, kind
clasificar to classify
clasista pertaining to class
clave *f.* key
clientela clientele
clima *m.* climate
cloro chlorine
coacción coercion, enforcement
coadyuvar+*inf.* to contribute to, help to
cobarde *m. and f.* coward
cobijar to shelter, cover
cobrador money collector, conductor
cobrar to get, collect
cocer to cook, bake
cocina kitchen, stove
cocinero cook
coche *m.* car, automobile; — de urgencia ambulance
coeficiente *m.* coefficient; — de prosperidad prosperity factor

coger to pick up
cohete *m.* rocket
cohibir to restrain, restrict
coincidir to come together
cola line
colar to pass through, strain
colchón mattress
coleando harassing, unsettling
colectividad collectivity
colectivo collective
colina hill
colmar to fill to the brim, fill up
colmenar *m.* apiary
colocar to arrange, place
colonizador colonizer, colonist
colono colonist
coloquial colloquial
color: de — colored
colosalismo colossal quality
coloso colossus
columna column
comedido courteous; moderate
comedimiento moderation, politeness
comedor dining room
comentario commentary
comenzar to begin
comer to eat
comercio trade
comida meal, food
comino cumin seed
comitiva retinue, suite
comodidad comfort
compadecido compassionate, sympathetic

compañerismo comradeship, good fellowship

compartir to share, divide

compenetración interpenetration

compensado compensated for

complejo complex

complemento addition

componerse de to be composed of; **componérselas** to manage, make out

comportar to bear, tolerate; **–se** to behave

compra purchase

comprador purchaser

comprensivo understanding

comprobar to verify, confirm; to prove

compromisario arbitrator

comulgante *m. and f.* communicant

comulgar to take communion

comulgatorio communion rail, altar rail

común common

comunicación communication

comunidad community

comunitario common, communal

conceder to grant, concede

concentrar to concentrate

concepción conception

concepto concept

conceptuoso witty

conciencia awareness, cognizance

concienzudo conscientious, thorough

concierge *m. French* porter

conciudadano fellow citizen

concluir to conclude

concurrido crowded

concurso competition, contest

concha sea shell

condado county

condicionar to condition, adjust

condiciones *f. pl.* state, aptitude, disposition

condimentado seasoned

conducir to drive; to conduct, lead

conductor driver

conejo rabbit

conferenciante *m. and f.* lecturer

confesar to confess

confianza confidence

confiar to trust

confluir to join, meet

conformar to conform, adjust; to agree; **–se a** *or* **con** to resign oneself to

conforme: — a according to; **— con** in agreement with

confortabilidad comfort

congelado frozen

congelador freezer

congruente appropriate, congruous

conjunto composite, combination, total (effect)

conmover to move, stir up
conocedor *adj.* familiar (with);
n. expert, connoisseur
conocimiento knowledge, understanding, acquaintance; –s learning, knowledge
conquista conquest
conquistar to conquer
consabido above-mentioned
consciente aware
consecuencia: en — consequently
conseguir to obtain; to succeed
conserje *m.* keeper of a building, porter, concierge
conservar to conserve
considerar to consider
consiguiente subsequent; **por —** consequently
consolador consoling
consolar to console
constancia steadiness, constancy
constar to be clear
constituir to constitute
consuelo consolation
consumidor *adj.* consuming; *m.* consumer
consumo consumption
contabilizar to enter (*in a ledger or on a scorecard*)
contacto contact
contagiar to infect; –se to become infected
contagio contagion

contar to count; **to** relate; —
con to rely on, count on
contestación reply
contiguo adjoining
contingente *adj.* contingent; *m.* share, quota
continuamente continually
contra against; **en — de** against; **pro —** on the other hand
contradecir to contradict
contrapeso counterbalance
contraproducente self-defeating, unproductive
contrariado annoyed
contrariar to oppose; to provoke
contrariedad annoyance, obstacle
contrario opponent; **por el —** on the contrary
contravenir to act contrary
contribuyente *adj.* contributing; *m. and f.* taxpayer
contundencia forcefulness
contundente forceful
conturbar to trouble, disturb
convencer to convince
convencimiento conviction
convencionalismo conventionalism
convenir to agree; to be convenient
convertir to convert; –se en to turn into, become

convivencia living together
convivir to live together; — **con** to exist side by side with
cónyuge *m. and f.* spouse
cooperar to contribute
copla couplet, ballad .
Corán *m.* Koran
corazón heart
corbata tie
cordero lamb
cordón cord
corear to answer in chorus
coro chorus, choir
corral corral
correa leash
corrección correctness
corretear to race around, run up and down
corriente *f.* current, stream
corromper to corrupt
corrompido corrupted
corrupción corruption
cortante sharp, cutting
cortar to cut, cut off
cortejo homage, courtship
cortina curtain
cortinón heavy curtain
corto short, slight, scant
costa cost, price; **a — de** at the expense of
costado side (of a ship)
costar to cost
costear to defray the cost
costillar *m.* ribs; framework
costra scab

cotidiano daily
cotilleo gossip
coto enclosed pasture, boundary
crear to create
crecer to grow
creces *f. pl.* excess, increase
creciente growing, increasing
creencia belief
creer to believe
creyente *m. and f.* believer
criado servant
criar to foster, nourish
crimen *m.* crime
cristal glass, pane of glass; **–es** lenses
criterio criterion
crítico critic
cromatismo chromatism; disorder, deviation; abnormal coloration (*plants*)
crudo raw, crude
cruento bloody
cruz *f.* cross
cruzar to cross
cuadrado square
cuadro square, picture; **–s de mando** leadership, directing agencies
cualquier (a) whichever, whoever
cuando when; **de — en cuando** from time to time; **de vez en —** from time to time; **— menos** at least; **— no** if not, even when

cuantía   quantity

cuantioso   numerous

cuanto   as   much   as; — antes mejor   the sooner, the better; en — as soon as; en — a   as for; unos —   some, few

cuartilla   sheet of paper

cubierta   deck

cubierto   covered, covered up

cubo   bucket, wooden pail

cubrir   to cover

cuenta: a — de   at the expense of

cuento   story

cuerpo   body

cuestión   question

cuidado   care;   sin —   indifferent

cuidadosamente   carefully

cultivo   cultivation

cumplimentado   filled out, completed

cumplir   to fulfill, complete

cundir   to increase, spread, multiply

curado   cured

curioseo   browsing; prying

curiosidad   curiosity

chabola   shack, hut

cháchara   chatter

chamizo   half-burned log

chapa   plate

chapurrar   to jabber

chapuzón   ducking

charanga   fanfare

charca   pool

chica   small girl

chico   boy, young fellow, small youngster

chillar   to scream, shriek

chimpancé *m.*   chimpanzee

chinchín   ballyhoo

chinchorrería *coll.*   vexation, bother

chispazo   flying spark

chiste *m.*   joke

chocar   to shock, vex

choque *m.*   clash

chuleta   chop

daño   damage, hurt

dar   to give; — cara a   to face; — con   to meet, run into; — el paso   to take the step; — la hora   to tell time; — la vuelta   to turn around; — para todos   to be enough for all; — por supuesto   to take for granted; — por terminado   to complete; -le de comer   to give one something to eat

darse   to yield, give in; — a   to devote oneself to; — cuenta de   to realize; — de lado   to cast aside; — del todo   to give oneself completely; — por   to be considered as

dato   basis, fact

deambular   to stroll

debajo underneath; **por — de** below, under

deber *m.* duty; *v.* **— +***inf.* must, ought to

débil weak

debilidad weakness

debilitar to weaken

decaer to decay

decano dean

decepcionado disappointed

decididamente with determination; decidedly

decidir to decide

decir to say, tell; **es —** that is to say; **que digamos** to speak of

decir *m.* saying, say-so

declive *m.* slope, decline

decoro decorum

decoroso decorous

decretar to decree

decuplicar to multiply by ten

dédalo labyrinth

deducir to deduce

defecto defect, fault

defectuoso defective

definir to define

definitivo definite; **en —** definitely, in short

defraudar to cheat, defraud

degenerar to degenerate

degustar to taste

dejar to leave, let; **— al margen** to leave aside; **— de+***inf.* to cease, stop; **— en la estacada** to leave in the lurch

delación accusation

delante de in front of

delantero *adj.* front

delegar to delegate

deleitar to delight, please

delgadez thinness, leanness

delirante delirious

demás: por — too; **por lo —** furthermore

demasiado too much

demoler to demolish

demorar to delay

demostración demonstration

demostrar to demonstrate

denegar to refuse, deny

dengue *m.* prudery

denodado daring, bold

denominar to name, indicate

dentro de within

denuncia proclamation; denunciation

denunciar to denounce

deparar to present, provide

dependienta clerk

deporte *m.* sport

deportivo pertaining to sports

depósito deposit, reservoir

deprimir to depress

depurar to purify

derecho *n.* law, right; **–s** rights; *adj.* right

derivar to turn (one's attention); to derive

derredor: en — around, round about

derroche *m.* waste, squandering

derrota defeat

derruir to tear down, demolish, raze

desacertado wide of the mark; wrong

desafío challenge

desahogado comfortable

desahogarse en to burst forth in (*insults*)

desahogo comfort, ease

desaliento discouragement

desandar to retrace

desaparecer to disappear

desarraigar to uproot

desarrollar to develop

desarrollo development

desasistir to abandon, forsake

desastrado shabby, ragged; unfortunate

desatar to break loose, lose all reserve

desatinado unwise, foolish

desayunar to breakfast; *fig.* to receive the first news

desazonador tasteless, unseasoned

desbocado abusive

desbordar to overflow

descansar to rest

descanso rest; **lugar de —** resting place

descargar to free

descarnadura removal of flesh; *fig.* bare spot

descartar to discard, reject, cast aside

descender to get out of (*a vehicle*)

desconcierto consternation

desconfianza distrust

desconfiar de to distrust

desconocer not to know, fail to recognize

desconocido unknown

descontado diminished; **por —** by deduction, not to mention

descorrer to draw (*a curtain*)

descosido disorderly, indiscreet

descoyuntado dislocated

descreído unbelieving

descreimiento disbelief

descubrimiento discovery

descubrir to discover, reveal; to expose

descuento discount

descuidado careless

desde: — luego doubtless, of course; at once

desdecirse to retract, take back

desdén disdain, scorn

desdeñar to disdain

desdoblar to unfold; to divide, split

desembarcado disembarked

desembarco debarkation, landing

desembocar (en) to flow, empty (into)

desembolso expenditure

desempeñar to fulfill, carry out, accomplish

desenfocar to be out of focus

desengañar to disillusion, undeceive

desenlace m. climax

desenlazar to loosen; to solve, unravel

desenmascarar to unmask, expose

desentenderse to detach oneself

desentonar to be out of tune

desenvolverse to extricate oneself

desequilibrado unbalanced

desestimar to disregard, reject; to hold in low regard

desfiladero pass

desfilar to file by, parade

desfile m. parade

desgarbadamente ungracefully

desgraciadamente unfortunately

deshabitado uninhabited

deshacer to undo; to destroy; —se de to get rid of

desheredado disinherited

deshidratar to dehydrate

deshilvanado disconnected, desultory

desinterés disinterest

desistir to desist; — de to give up, desist from

desleído diluted

deslizar to slip, slide

deslucido dull, lusterless

deslumbrante dazzling

desmelenado disheveled, mussed

desmentir to belie; to conceal (*evidence*)

desmesurado extreme, excessive

desmontar to remove, clear

desmonte m. clearing, leveling of trees

desmoronamiento crumbling; decline, decay

desnudo: al — plainly, bluntly

desolador desolating

despachar to dispatch; to discharge

despacho office

despampanante dumfounding, stunning, disturbing

despedirse de to take leave of

despegar to detach

despejado unobstructed, clear

desperdicio waste

despertar to awaken, wake up; to arouse

despiadado pitiless, unmerciful

despilfarrar to waste

despilfarro extravagance, waste

despistar to throw off the track

desplazamiento displacement

desplazar to shift, move

desplomarse to collapse, topple over

desplumar to pluck
despojar to strip, despoil
desprecio scorn, contempt
desprenderse de to give up
desteñido unpainted, faded, discolored
desterrar to banish
destino destination
destruir to destroy
desunir to disunite
desvanecer to cause to vanish, dispel, banish
desvencijado rickety, falling apart
desventaja disadvantage
detalle *m.* detail
detener to arrest, stop, detain; –se to stop; to delay, linger
detenimiento detention
determinado certain, determined
detonante exploding
detrás de behind
deuda debt
devastador devastating
devolver to return (*something*)
día *m.* day; al — per day, daily; de — en — from day to day; el — de (los) difuntos All Souls' Day; en pleno — in broad daylight; un — a la semana once a week
dialogar to talk, converse
diametralmente diametrically
diariamente daily

diario *adj.* daily; *n.* daily newspaper
dictar to dictate
dicho saying; de lo — from what has been said; mejor — to say it another way, or rather
diente *m.* tooth
diestro skillful
dieta diet
diferenciar to distinguish
difícil difficult
dificultad difficulty
dificultar to make difficult
difuminar to stump
difundido diffused, scattered
difunto *adj.* dead; *n.* (the) deceased
digerir to digest
digno worthy
dilatado expanded, vast
diluir to dilute
dinámica dynamics
dinero money
diputado deputy
dirigente *m. and f.* leader
dirigir to direct; — una casa to run a house; –se a to address (*a person*)
dirimir to solve, settle (*a controversy*)
discernimiento discernment
discordia discord
disculpa apology, excuse
discurso discourse
discutible debatable, disputable

discutir to discuss
diseminar to scatter, spread
disentir to dissent
disfraz *m.* mask, disguise
disfrazar to disguise
disfrutar de to enjoy
disimular to conceal
disiparse to disappear
disminuir to diminish
disolución dissolution
disolver to dissolve
disparatado frightful; absurd
dispersión dispersal
disponer de to make use of; –se
 a to get ready to
disposición inclination, predis-
 position
dispuesto disposed
disputa: sin — beyond dispute
distanciamiento separation, distance
distanciar to put further apart,
 place at a distance
distinto distinct, different
distraer to distract
divagar to ramble, wander, di-
 gress
diversión amusement, diversion
diverso different, diverse
divertido amusing
divertimiento diversion, distrac-
 tion, amusement
divertirse to amuse oneself,
 have a good time
divisa emblem; goal

divisar to catch sight of, perceive
divorciado divorced person
divulgado divulged, disclosed
doblar to double
docena dozen
doctorando candidate for the
 doctor's degree
dolido grieved; complaining
doliente sorrowful, sad
dolor pain, grief
doloroso painful, pitiful
domicilio home; a — at home
domingo Sunday
don *m.* natural gift, ability,
 talent
donación donation
dormir to sleep; –se to fall
 asleep, go to sleep
doscientos two hundred
dosis *f.* dose
dotar to endow
dote *f.* endowment, talent
droga drug
drogado drug addict
duda doubt
dudar to doubt; a no — without a doubt
duelo mourning, bereavement
dueño owner
dulce *adj. and m.* sweet
duradero lasting, durable
durante during
duro hard, harsh

economía economy; want, misery; — **doméstica** home economics

echar to throw, pour, send forth, discharge, issue, give out; — **a barato** to sneer at; **–le a uno una mano** to lend one a hand; — **de menos** to miss; — **mano de** to resort to

edad age

edificación construction, building

edificar to build

edificio building

educación breeding, good manners, education

educando student

efecto: en — sure enough

eficacia efficiency

eficaz effective, effectual

efímero ephemeral

efusividad effusiveness

egipcio Egyptian

Egipto Egypt

ejemplar exemplary

ejemplo example

ejercer to practice, exercise

elaborarse: — **a brazo** to work with all one's strength

elección election

electricista *m. and f.* electrician

electrodo electrode

elegir to elect

elevado high, elevated

elogiar to praise

eludir+*inf.* to avoid

emanar to proceed (from)

emancipación emancipation

embalsamar to embalm

embarazoso inconvenient

embolsar to take in, pocket

embotamiento dullness

embrague *m.* clutch

embriagado inebriated, intoxicated

embriaguez intoxication

embutido stuffed, crammed

embutir to stuff

empacho timidity; obstacle

empaquetado packed, jammed

emparejar con to catch up with, be even with

empeño endeavor, effort; obligation

empeorarse to grow worse, become worse

empequeñecer to make small, diminish

empezar to begin

emplear to use, employ

empresa enterprise, business

empujar to push

enajenar to transport

enaltecido exalted

enamorarse (de) to fall in love (with)

enardecerse to become impassioned, get excited

encadenar to chain, link

encajado inserted

encajar to make fit
encandilador dazzling
encarar to face; **–se** to come face to face
encarecimiento increase
encargarse de+*inf.* to take charge of; to undertake to
encargo request
encendido inflamed, lighted
encerrar to include, contain; to involve
encima above; **por — de** above
encoger to discourage; to shrivel, shrink
encontronazo collision
encorajinar to inflame; **–se** *coll.* to fly into a rage, get angry
encubrir to conceal
encuentro meeting
endiabladamente devilishly, horribly
endurecer to harden
endurecimiento hardness, hardening
energía energy
enervamiento enervation
enervante enervating
enervar to enervate; to weaken
enfadoso troublesome, vexatious
enfermo ill, sick
enfoque *m.* focus, approach (*to a problem*)
enfrentarse to meet face to face;

— con to face
enfriar to cool, make cold; **–se** to turn cold
engañar to deceive
engaño deceit, trick
engañoso deceitful
englobado united, lumped together
engorroso annoying
engranaje *m.* gear, gearing
engrandecimiento amplification, enhancement
engrasado greased, oiled
engrasar to lubricate, grease
engullir to devour, gulp down
enlazar to join
enmendar to correct, amend
enmudecer to silence
enojoso vexatious, annoying
enorgullecerse to be proud
enredar to entangle
enrevesado intricate, complex
ensanchar to widen, extend
ensayar to try out, test
ensayo attempt; rehearsal; testing, trial
enseñanza teaching, instruction
entelequia entelechy
entender to understand; **a mi —** in my opinion, according to my understanding
entendido: bien — (que) with the understanding (that); of course; although
entero: por — entirely

enterrar to bury
entibiar to cool, temper
entierro burial
entonces then
entorpecimiento dulling, stupe-faction, benumbing
entrada entrance; **de —** to be-gin with
entrañas *pl.* entrails
entregar to deliver; **–se de** to take charge of
entremezclar to intermingle
entretenido entertaining
entrometerse to meddle, intrude
envarado benumbed, stiffened
envase *m.* container, package
envejecer to age; **–se** to age, grow old
enviar to send
envidiable enviable
envidiar to envy
envolver to wrap up, surround, envelop
envuelto wrapped up
equilibrar to balance
equiparación equalization; comparison
equipo team
equitativo equitable, just
equivaler to be equivalent
equivocarse (de) to be mistaken (in)
erguir to raise, lift up
erigir to erect, build
erizado spiny, bristling

errar to err, make a mistake
escala scale
escalera staircase
escalofriante chilling
escalón step (*of stair*)
escamotear to "swipe," cause to vanish
escandaloso scandalous
escaparate *m.* show window
escarbar to pry into
escasez scarcity, need, want
escaso scarce
escenografía scenography
esclarecedor enlightening
esclavitud slavery
esclavo slave
escoba broom
escollo pitfall, stumbling block
escoria slag
escote *m.* low neck
escritor writer
escrutar to scrutinize
escueto plain, unadorned
esfuerzo effort, force
esfumar to stump; **–se** to dis-appear, fade away
esmalte *m.* enamel
espaciar to diffuse, scatter; to space
espacio space
espalda shoulder
esparcimiento diversion, relaxa-tion
especialista *m. and f.* specialist
especie *f.* kind

espectador spectator
espectral ghostly, spectral
espectro specter
especulador speculator
espejo mirror
espinoso thorny
espíritu *m.* spirit
espiritualidad spirituality
esplendente resplendent
espontáneamente spontaneously
esporádico sporadic
esquela death notice
esquema *m.* scheme
esquemático schematic
esquina corner
esquinado sharp-cornered;
angry; unsociable
estabilidad stability
establecer to establish
establecimiento establishment,
place of business
estacada stockade
estación station, position; sea-
son
estacionar to park, station
estadio stadium
estadístico statistic
estado state
estadounidense *m. and f.* citizen
of the United States
estafar to defraud, swindle
estamento estate
estampar to print, engrave
estampida explosion
estancia dwelling; stay

estandarte *m.* banner
estanque *m.* reservoir, pool
estatal (pertaining to the) state
estera mat
estimable appreciable; highly
esteemed
estimar to esteem; to believe;
to estimate
estimular to stimulate
estímulo stimulus
estirpe *f.* lineage, strain (*of a
family*)
estival *adj.* summer
Estocolmo Stockholm
estofado stew
estoico stoical
estómago stomach
estorbar to hinder, disturb
estorbo hindrance, annoyance
estrago havoc, ravage
estrangulado strangled
estrecho narrow
estrella star
estremecer to shake; —se to
shake, shudder, shiver
estrenado tried out for the first
time
estribar en+*inf.* to be based on
estribor starboard
estridencia stridence, harsh *or*
shrill sounds
estridente strident, clamorous
estropear to damage, ruin, spoil
estructura structure

estructuración organization, construction
estudio study
estufa stove
estulticia foolishness
estupefacto amazed
etapa stage, step
éter *m.* outer space
euforia euphoria, moment of glory
evadir to avoid, evade
evaporar to evaporate; **–se** to vanish, disappear
evasión escape, evasion
evidente: por — obviously
evitar to avoid
evolucionado evolved
evolutivo evolutionary
examen *m.* test, examination; **— de conductor** driver's test
examinando examinee
excelso sublime, elevated
excitación excitement
excrecencia excrescence, abnormal growth *or* increase
execrar to execrate, to anathematize
exento exempt, free
exigencia demand, exigency
exigir to exact, require
eximir to exempt, excuse
existente existing
expediente *m.* proceedings
expedito expeditious
experiencia experiment; experience

experimentar to experience
explicable explainable, explicable
explicar to explain
explotar to exploit
exponer to expose
expulsar to expel
extasiar to delight, enrapture
extenso extensive, vast
exteriorizar to reveal
extraer to extract; to export
extranjero *adj.* foreign; *n.* foreigner
extrañar to miss; to surprise; to be surprised at
extraño strange
extremadamente extremely
extremo ultimate; critical
extremoso extreme

fábrica factory
fabricar to manufacture
fabril manufacturing
fábula fable
faceta facet
Facultad Faculty, School (*of a university*)
facultativo pertaining to a faculty
fachada facade, front
faena work, labor
falaz deceitful
falda skirt
falta mistake, error, lack; **a —**

de with lack of; **hacer —** to be necessary; to be missing *or* lacking

faltar to lack; **no le falta razón** he is right, he is not wrong

fallar to miss, fail

fallecer to die

fallecido deceased

fallecimiento death

fallo defect

fama reputation

famélico hungry

familia family; **— -piña** heart of the family, family cluster

familiar familiar, intimate; pertaining to the family

fanatismo fanaticism

fantasma *m.* phantom

farmacopea book of drugs and medicines

farolito small lantern

fascinador fascinating

fase *f.* phase

fatuo conceited, fatuous

favorecer to favor

faz *f.* front, face

fe *f.* faith

febril feverish

fecha date

fehaciente authentic

felicidad happiness

feligrés parishoner

fenómeno phenomenon

féretro coffin

feroz ferocious

ferroviario pertaining to a railroad, railway

fichaje *m.* scoreboard

fidedigno trustworthy, reliable

fidelidad fidelity

fiebre *f.* fever

fiel *adj.* faithful; **–es** *n. pl.* faithful, worshipers

figón cheap eating place

fijar to fix; **–se en** to notice, pay attention to

fila line, row

fin *m. and f.* end, purpose; **a — de cuentas** after all; **a –es de** at the end of; **al —** at last, finally; **al — y al cabo** after all; **en —** finally, in short; **primer —** end result

finado *adj. and n.* deceased

fingir to feign, pretend

firma signature

fisco national *or* state treasury

físico physicist

flaco weak, thin

flamante brand-new

flan *m.* custard

flanquear to flank

fleco fringe

flechazo love at first sight

flor *f.* flower

floración flowering

fluidez fluidity

foca seal

foco center, focus

fofo spongy, soft

fomentar to foment; to foster, promote

fondo: en el — basically; **–s** funds

fontanería plumbing

fontanero plumber

forastero foreigner

forestal pertaining to a forest

formación training

fornido robust, husky

forrado lined

fortaleza strength

forzado forced

forzoso unavoidable, inescapable; strong

frac *m.* tails, full-dress coat

fraguar to forge; to hatch, brew; to scheme

francés French

franco open, free, frank

franquear to cross, get over; to open

frase *f.* sentence, phrase

frecuentar to frequent

fregadero sink

fregar to scour, scrub; to wash (*dishes*)

freír to fry; **medio —** to half-fry

frenar to brake; to check, restrain; **— en seco** to stop short *or* suddenly

frenazo sudden braking

freno brake, restraint

frente *f.* forehead, brow; **— a** in front of

fresno ash tree

fricción friction

friega-platos *m. sing. or pl.* dishwasher(s)

frigorífico refrigerator

fronda frond

frontera boundary, border

fuego fire

fuente *f.* fountain

fuera outside

fuerte strong

fugaz fleeting, transitory

fúlgido bright

fumadero: — de opio opium den

funcionario public official, civil servant

fundación foundation

fundadamente with good reason; on good authority

fundir to fuse

fúnebre *adj.* funeral; gloomy, funereal

funeraria funeral home

gafas *pl.* eyeglasses

galería veranda, porch

gallardo elegant, graceful

galleta cracker, biscuit

ganadero cattleman

ganado cattle

ganar to earn; to win; **–se la vida** to earn one's living

garantía guarantee

gastar to spend; to waste

gasto expense
gélido frigid
género kind, sort
gente *f.* people
gentileza politeness, gentility
Gerónimo Jerome
gesto expression, gesture
girar to revolve
giro whirl, turn
global total
gobernador governor
gobierno government
golosina delicacy, sweet
golpe *m.* mass, abundance; blow
golpear to beat, strike
goma: — de borrar eraser; — de mascar chewing gum
gorra cap
gota drop
grabar to engrave; to record
gracias *pl.* cute ways, charms; jokes
grácil slender
gracilidad slenderness
grado degree; de buen — willingly
graduado graduate student
grandiosidad grandeur
granjear to win, win over
granjero farmer
grato pleasing; grateful
grave grave, serious
gravitar (sobre) to gravitate (to); to weigh down (on)

gregarismo gregariousness
grito shout
guardar to guard, watch
guerra war
guiar to guide
guindilla small, sour cherry; Guinea pepper (*fruit*)
guiño wink
guisante *m.* pea
guisar to put in order
gusto taste, pleasure

haber to have; — de+*inf.* must; to be to; hay que one must; no hay que decir needless to say
hábil clever
habilidad cleverness
habitante *m. and f.* inhabitant
habituado a accustomed to
habituamiento habituation
hacer to do; to make; — +*inf.* to have something done; — buena falta to be badly needed; — de to work as; — frente to face; –se to become
hacia toward
hacienda property; — pública national treasury
hacinamiento heaping, stacking
hacinar to pile, stack, heap
halagüeño attractive, charming
hallar to find
hallazgo finding, discovery

hambre *f.* hunger
hambriento hungry
harapiento ragged, tattered
harto full, fed up, satiated
hasta until; — **que** until
hastío disgust
haya beech tree
hectárea hectare
hecho fact, action, deed; **de —** in fact
helador freezing
henchido filled, stuffed
herencia inheritance
hermana: — de la caridad Sister of Charity
hermanos *pl.* brothers and sisters
hermetismo secretiveness, secrecy
heroico heroic
hervir to boil
híbrido hybrid
hielo ice
hierba grass
hierro iron
hijos *pl.* sons and daughters
hilera line, row
hinchar to inflate, swell
hiriente stinging; offensive
historieta anecdote
hito landmark
hogar *m.* home
hogareño homey, home-loving
hoja leaf
hojalata tin

holgadamente amply, easily
holgado comfortable, fairly well-off
holgura ease, comfort
hombro shoulder
homenajear to pay homage to, honor
hondo profound, deep
honradamente honestly
hora hour; **–s de consulta** office hours
horario timetable
horizonte *m.* horizon
hormiga ant
horno oven
hospitalizar to hospitalize
hoy today; **— día** nowadays; **— por —** as of today, at the present time
hueco opening, hollow
huelga strike
huella trace, mark
huérfano orphan
hueso bone
huída flight
huir to flee
humedad humidity
humedecer to moisten, wet, dampen
húmedo humid
humildad humbleness
humildísimo very humble
humillación humiliation
humorístico humorous
huraño shy, diffident

identificar to identify
idioma *m.* language
idiomático linguistic
iglesia church
ignorar not to know
igual the same, equal
ilustración learning, enlightenment
imbuir to imbue
impasible indifferent, impassive
impedir to prevent
imperar to reign
impermeabilidad imperviousness
impermeable *m.* raincoat; *adj.* waterproof
implicar to imply
imponer to impose
importar to matter, be important
impregnar to impregnate, saturate
imprenta press
imprescindible indispensable, essential
impresionar to impress
impresos *pl.* printed matter
imprimir to impress; to stamp, imprint
improvisación extemporization
impudor immodesty, shamelessness
impuesto *adj.* informed; *n.* tax
impulsar to drive, impel
impunemente with impunity, free from punishment
inacabado unfinished
inadvertible unnoticeable
inalcanzable unattainable, unreachable
inanición exhaustion from lack of food
incapaz incapable
incendiar to set on fire
inclinación bow
incluso even; inclusively; including
incomodidad discomfort
incomprensible incomprehensible
incomunicación solitary confinement, isolation
inconmovible lasting, firm, unyielding
incontable countless
incontestablemente unquestionably
inconveniente *m.* difficulty
incrustación inlay, incrustation
inculto uncultivated, uncultured
incurrir to incur
indagar to investigate
indefectiblemente unfailingly
indefenso defenseless
independizar to emancipate; –se to free oneself, become independent
indicio sign
indigencia indigence, poverty, need

indigno unworthy
indispuesto indisposed (slightly ill)
indolente indolent, lazy
indomable indomitable
inducir to induce
indumentaria clothing
indumento garment
inédito unknown
ineluctable irresistible
inerte inactive, inert
inexcusable indispensable
inexperto inexperienced
inexpresado unexpressed
inferir to infer
infierno hell
infiltración infiltration
infiltrado infiltrated
influir to influence
informes *m. pl.* information
informulado unwritten, unformulated
inframundo underworld
infranqueable insurmountable, impassable
infundir to instill, infuse
ingeniero engineer
ingenio machine
ingente huge
ingenuo ingenuous, open, frank, free from disguise *or* dissimulation
ingerir to introduce, insert; to take in
Inglaterra England

ingrato unpleasant, thankless
ingravidez lightness, weightlessness
ingreso receipts; –s income, revenue
inhábil unskillful
inhibir to inhibit
iniciar to begin
inmaculado spotlessly clean, immaculate
inmediato: de — immediately
inmerso immersed
inmundicia filth, dirt
inmune free, exempt; immune
inmutable unchangeable
innegable undeniable
inodoro toilet
inquietarse to become disquieted, worry
inquilino tenant, renter
insalubre unhealthful
insatisfecho unsatisfied
inseguridad insecurity
inservible useless
insinuar to insinuate, imply, suggest
instauración restoration
insulsez flatness, tastelessness
integración integration
integral whole
intentar to try, attempt
intercalar to insert
interlocutor speaker
internar to commit; –se to take refuge

interponer to interpose
intérprete *m. and f.* interpreter
interrogado person questioned
interrogador interrogator
interrogante *adj.* questioning;
  m. question mark
interrumpir to interrupt
intimidad private life, privacy
intransigente irreconcilable
intricado confused, intricate,
  complicated
inútil useless
invadir to invade
inventiva inventiveness
invento invention
inversiones *pl.* investments
invertir to invest
investigar to investigate
invierno winter
ir to go; **–se** to leave; **pero a
  lo que iba** but to return to
  what was being said; **vaya** if
  you will; **vayamos a** let's
  consider
irradiar to radiate
irremediablemente irremedi-
  ably, hopelessly
irremisiblemente unpardonably,
  irremissibly
irrisorio insignificant; ridiculous
irritar to irritate
isla island
Italia Italy
izquierdo left

jabón soap
jamás never
jamón ham
jardín garden
jardinero gardener
jefe *m.* head, chief
jerarquía hierarchy
jornada workday
juego game, set; **sala de —**
  game room
jueves *m.* Thursday
juez *m.* judge
jugar to play
jugoso juicy, succulent
juguete *m.* toy, plaything
juicio judgment
junco rush, bulrush
jungla: — brasileña Brazilian
  jungle
junta meeting, gathering; board,
  council
junto a beside, near, close to
justificar to justify
justo just, correct
juzgar to judge

labio lip
laboral pertaining to labor
laborioso laborious
labranza farming
labrar to till, plow
ladera slope, hillside
lado side; **al —** close by; **de
  —** sideways; from *or* on the
  side; incidentally; **de otro —**

on the other hand; **por otro
— ** on the other hand; **por
un —** on the one hand; **por
un — y por otro** in one way or
another
ladrillo brick
lágrima tear
lamentar to lament
landó landau
lanzar to hurl, throw
lápida tombstone
larga: a la — in the long run
largo long; **a lo — de** in the
course of, along; **de —** in
length
largueza generosity
lastimoso pitiful
lata tin can
latiguillo small whip
lavadora washing machine
lavandería laundry
lavaplatos *m.* dishwasher
lazo bow, knot
lector reader
leche *f.* milk
lechuga lettuce
leer to read
lejano distant, faraway
lejos de far from
lelo simpleton
lengua tongue
lentes *m. pl.* eyeglasses
lento slow
letra word of a song *or* poem
levantar to raise; **–se** to get up

leve slight, trivial
ley *f.* law
leyenda legend
liar: — el petate *coll.* to pack up
and get out
liberación liberation
libertad liberty
licenciado college *or* university
graduate
licenciatura university degree *or*
title
lícito just, right
ligar to link
ligero slight
limitar a+ *inf.* to limit to
límite *m.* limit
limosna alms, charity
limpia-calzado shoe shiner
limpiaparabrisas *m. sing.* and *pl.*
windshield wiper(s)
limpieza cleanliness
limpio clean
linchamiento lynching
lindar con to border on
litro liter
lóbrego gloomy
local quarters, premises
loco crazy
locuacidad talkativeness
lograr to gain; to succeed; to
obtain
logro success, attainment
loma little hill, slope
lucero morning star, Venus
luctuoso sad, gloomy

lucha struggle
luchar to struggle
luego then
lugar *m.* place; **en — de** instead of
lujo luxury
lumbago backache
lumbre fire, light
luna moon
lunar *m.* blemish; mole
lustro lustrum *or* five-year period
lustroso shiny
luz *f.* light

llamar to name; to call, summon; **–le a uno la atención** to attract one's attention
llano *adj. and n.* plain
llanta tire
llanto weeping, crying
llegada arrival
llegar to arrive
llenar to fill
llevadero bearable, tolerable
llevar to carry, take, take away; to bear, suffer
llorar to cry
lluvia rain

macarrones *m. pl.* macaroni
maceta flower pot
macizo *n.* flower bed; *adj.* solid, massive
machacar to crush; **–se** to be insistent
madeja tangle
madera wood
madrugada dawn
madrugón *adj.* early-rising; *m. coll.* getting up very early
maduro mature
maestro master
magisterio teaching profession; leadership
magistralmente in a masterly way
magnetofónico recording (*tape or wire*)
mahometano *adj. and n.* Mohammedan
maíz *m.* corn, maize
mal evil; wrong; misfortune
malvivir to live in poverty
manazas *m. fig.* awkward one
mandar to order; to send
mando command, authority, power
manejar to drive (*vehicle*)
manga sleeve
manillar *m.* handle bar
manitas *m. fig.* clever *or* dexterous one
mano *f.* hand; **a —** at hand, by hand; **de la —** by the hand; directly; **de — en —** from hand to hand; **— de obra** hand labor
manso tame
manta blanket

manteca lard; butter
mantener to maintain
mantequilla butter
manuscrito manuscript
manzana city block
manzano apple tree
maña skill
mañana morning
maquillaje *m.* make-up,
cosmetics
máquina machine; — de afeitar
electric razor
maquinismo mechanization
mar *m. and f.* sea
marco framework; frame
marcha functioning
marchar to leave; to run; — en
auto to go *or* travel by car
marchito faded, withered
margen *m. and f.* margin; al —
de at the edge *or* margin of,
outside of, aloof from
marginado marginal
marido husband
mariposa butterfly
martirio martyrdom
mas but
más more; a — de besides,
in addition to; — bien rather;
— de more than; es —
moreover, furthermore; sin —
without more ado
masa mass; en — in the mass,
en masse
mascarada masquerade

masificación massing together
masificado massed together
matadero slaughter house
matar to kill
matemático mathematician
materia material, subject matter,
matter; —s primas resources,
raw materials
matiz *m.* shade, nuance
matrícula enrollment
matricular to register, enroll
matrimonio married couple;
marriage
mayor older, greater; la —
parte the majority
mayúscula capital letter
mecánico mechanical
mecanismo mechanism
mecedora rocker
mechado larded, buttered up
medalla medal
media average, middle; —
suela half sole; a —s half-
and-half
medianía mediocrity
mediante by means of
médico *n.* doctor; *adj.* medical
medida measure, means
medio *adj.* half; en — de in the
middle of; — oeste Midwest;
n. environment; —s means,
ways
medir to measure
medrar to thrive, prosper
mejicano Mexican

mejilla cheek

mejor better, best; **a lo —** at the best; **— dicho** rather; **— que —** all the better

mejorar to improve

melocotón peach

mendicante *adj.* mendicant; *m. and f.* beggar

mendigo beggar

menester *m.* job, occupation; lack, need

menor younger, youngest

menos less; **al —** at least; **los — ** the fewest; **por lo —** at least; **sobre poco más o —** practically, little more or less

menoscabar to impair, damage; to reduce

mente *f.* mind

menudear to do frequently, to repeat frequently

menudo small, petty; **a —** frequently

mercado market

mercenario mercenary

merecer to merit, deserve; to attain (one's goal)

meridianos: por estos — in these parts of the world

merodear to maraud

meseta plain

mestizo one of mixed blood strains

mesura moderation, restraint; dignity

mesurado grave; polite

meter to put, place; to meddle; **—se la nariz** to stick one's nose (in), pry

meticulosidad meticulousness

mezquino needy, poor, wretched

mico long-tailed monkey

miedo fear

miembro member

mientras while; **— tanto** in the meantime

migaja crumb, bit

mil *adj. and m.* thousand; **— y pico** a little over a thousand

millar *m.* thousand

mimar to pamper, spoil

mímica mimicry

minoría minority

minuciosidad minuteness, meticulousness

minucioso minute, detailed

minúsculo small

minuta bill of fare

mirada glance

mirado: bien — well-thought-of; well-considered

mirar to look at

mirlo blackbird

mirón *adj.* nosey; *n.* busybody

misa mass

misantropía misanthropy

miseria misery

misivo missive

mismo very; same; itself

mitad half; — por — half-and-half
mitin meeting
mito myth
mixto mixed; co-educational
mobiliario suite of furniture
moco: — de pavo crest of a turkey
moda style, fashion
modalidad kind, way
modélico model
modelo *f.* fashion model
moderado moderate
modificar to modify
modo manner, way; de este — in this way
mojar to wet, dampen; to drench
molestar to bother, annoy
molestia bother
molicie *f.* softness
momento moment; de — at the moment, for the present
mondo clean, pure
moneda coin
mono monkey
montacargas *m.* freight elevator
montaje *m.* assembling, installing
montañero mountaineer
montar to assemble; to climb on; to establish, set up
mor: por — de because of
morada residence, dwelling
morder to bite

morfinómano drug addict
morir to die
morosamente sluggishly
mortuorio mortuary
mostrar to show
móvil *m.* motive, incentive
movilidad mobility
movimiento movement
mozo porter
mucho much; ni — menos not by any means, not by a long shot
mudar: — de casa to move
muelle *m.* wharf
muerte *f.* death
muerto *n.* deceased person
mugriento dirty
mujer *f.* wife
multitudinario multitudinous
mundano worldly
mundial world, world-wide
munición supplies
municipio municipality
muñeca doll
muro wall
musculado muscular
musgo moss
musulmán, –mana *adj. and n.* Moslem
mutismo silence

nacer to be born
nacido offspring
nadar to swim
nadie no one

nariz *f.* nose
nata elite, cream
nato *adj.* inherent; born
natural *m. and f.* native
naturaleza nature
naufragio wreck, failure
náufrago hopeless one
navaja razor
nave *f.* ship
neblinoso foggy, misty
necedad stupidity, folly
necesitado needy
necio stupid
necrológico necrological, obituary
negar to deny; **–se a** to refuse to
negocio business
negro *adj.* black; *n.* black man, Negro
neoyorquino New Yorker
neumático tire
nevera refrigerator
nido nest; family home
nieto grandchild
nitidez brightness, clearness
nivel level
nocivo harmful
nombre *m.* name
norma norm, standard
normando Norman
norte *m.* north
nostalgia nostalgia
noticias *pl.* notices, news
notorio manifest, evident; notorious

novia bride
noviazgo engagement
novísimo very new; most recent
nube *f.* cloud
nublar to cloud; to dim
nudo crux, center, core, nut (*of an issue*)
nuevo new; **de —** again
nuez nut
número number
nutria otter
nutricio nutricious
nutrido robust, vigorous; nourished, fed

obcecar to blind
obedecer to obey
óbice *m.* obstacle
obra masterpiece, work
obrero worker, workman
obsequio gift
observador observer
obseso obsessed
obstante: no — nevertheless, however
obstar: — para to hinder, oppose
obstinarse en+*inf.* to be obstinate in
obvio obvious
ocasionado exposed
ocasionar to cause
ocio leisure, pastime
ocioso idle, useless

ocultar to hide, conceal

ocupar to occupy; –se to become occupied; –se de *or* en to be busy with

ocurrir to occur

odio hate

oeste *m.* west

oficiar to celebrate (*mass*)

oficio job, trade, craft; — fúnebre funeral service, memorial service

ofrecer to offer

oír to hear; — decir to hear it said

ojo eye

olmo elm tree

olor odor, scent

olvidar to forget; –se de to forget

operante operating

operar to operate; to take effect (*drug or medicine*)

opinar to judge, opine

opinión opinion

opio opium

opíparamente sumptuously

oponente *m. and f.* opponent

oponerse a to be opposed to

oposición opposition; competitive examinations

oprimir to push, press

optar to choose, select; — por to decide in favor of

opuesto opposed, opposite

opulencia opulence, wealth, affluence

orden *m.* order

ordenadamente in an orderly fashion

ordenanza *f.* ordinance

ordenanza *m.* errand boy

ordenar to order

ordinario: de — ordinarily

orear to air; to take an airing

orejera ear muff

orfanato orphanage

organismo agency, organization

orgullo pride

orgulloso proud

orientar to direct, orientate

orilla bank (*of body of water*); *fig.* fringe (*of society*)

orla border, margin, edge

ornato show, adornment

oro gold

oscilación wavering, oscillation, hesitation

ostensible noticeable, visible

otear to observe, watch; to survey

otoñar to grow in autumn

otorgar to grant; to agree to

oveja sheep

ovoide egg-shaped

pabellón pavilion

pacífico tranquil, serene

padecer to suffer

padres *m. pl.* parents

pagar to pay

pago payment
país *m.* country, nation
paisaje *m.* landscape
pájaro bird
pajizo straw-colored
pala shovel
palabra word
paladar *m.* palate; taste
palangana wash basin
palmario clear, evident
palo stick
pan *m.* bread
pancarta placard, poster
pantalones *pl.* trousers
pantalla movie screen
panteón mausoleum
pañal diaper
papel role; paper; — **de celofán** cellophane paper
papeleo red tape, paper work
papeleta file card
paquete *m.* package
par *m.* couple
para for, in order to, compared to; — **con** toward
parabrisas *m.* windshield
parado unemployed, idle
paraíso paradise
parangón comparison
parar to stop
parcelar to divide
parche *m.* patch; splotch; plaster
parear to match
parecer to appear, seem; **al —** apparently; **–se a** to look like, resemble
pareja couple, pair
parejo equal, like
paridad comparison, equality
parir to bear, give birth, bring forth
paro suspension of work
paroxismo paroxysm, sudden convulsion, spasm
parpadear to blink, wink
párroco priest, parson
parroquia parish
parroquial parochial
parroquiano customer, client
parte *f.* part; **en buena —** in good part, for the most part; **en todas –s** everywhere; **por otra —** on the other hand
particular *adj.* private, personal; *m.* individual
partida departure; *coll.* behavior
partidario supporter, follower
partido game; — **de fútbol** football game
partir to leave; **a — de aquí** from this time forward, from now on; — **de** to reckon from
pasajero passenger
pasar to spend; **no se le pasa por la imaginación** it doesn't enter his mind, it doesn't occur to him; — **de**+*inf.* to go beyond, exceed

pasarela gangplank
Pascua(s) Easter; Christmas
pase *m.* pass
paseante *m. and f.* passerby, stroller
pasear to stroll, walk; –se to go for a ride; to take a walk
paseo drive, stroll, promenade, walk; path, avenue
pasillo corridor, aisle
pasión passion
paso path, way, step; a mi — on my way; — a — step by step
pastar to graze, pasture
pastel: — de manzana apple pie
pastilla lozenge, cough drop
pastizal pasture
pasto pasture
patata potato; puré de –s mashed potatoes
pateado kicked, stamped
patente clear, evident
patentizar to make evident, reveal
patidifuso stupefied, astounded, stunned
patriotero exaggeratedly patriotic
patrulla patrol
paulatino gradual
pauta rule, guideline, standard
pavo turkey
paz *f.* peace
peaje *m.* bridge toll

peatón pedestrian
pechar con to take on (*a responsibility*)
pecho chest
pedestre pedestrian
pedir to ask for; — disculpa to ask for pardon; — prestado a to borrow from
pega catch question (*as in an examination*)
pegajoso sticky, clammy
pegar to fasten, glue, stick
peinado combed
pelar to peel
peliagudo *coll.* arduous
película movie
peligroso dangerous
pelo hair; — al cero all hair removed
peluquero hairdresser
pelusa fuzz
pena trouble, difficulty
pendiente *f.* slope, incline
penoso painful; arduous, difficult
pensar to think
penúltimo next-to-last
peón laborer
peor *adj. and adv.* worse, worst
pequeñez smallness
percatarse de to become aware of, notice
percibir to perceive
perder to lose
pérdida loss

perdurar to last; to endure
peregrino *adj.* strange, foreign;
  n. pilgrim
perenne perennial
perentorio urgent, peremptory
pereza idleness, laziness
perfil *m.* profile, outline
pericia skill, expertness
periódico newspaper
periodismo newspaper work
periodista *m. and f.* newspaper
  writer, journalist
peripatético ridiculous, wild
permanecer to remain
perplejo perplexed
perro dog
personal *n.* personnel, staff
persuadir to persuade
pertenecer to belong
perturbador disturbing
pervivir to survive; to persist
pesadilla nightmare
pesadumbre sorrow
pesar to weigh; to regret; to
  make sorry; — de+*inf.* to be
  sorry that
pescado fish
pese a in spite of; — que in
  spite of the fact that
peseta Spanish monetary unit
pestañear to blink; sin —
  without batting an eye
piadoso pious
picar to itch; to bite; to chop up
picardía deceit, roguery

picaresco roguish
pico pickax
pie *m.* foot; al — de near; en
  — standing; firmly, steadily
piedra stone
pierna leg
pila pile
pingüe profitable, rich
pintar to paint
pintor painter
pinzas *pl.* forceps, tweezers
pisar to step on, tread on
piso story *or* floor (*of a build-*
  ing); apartment
pista highway
plácidamente serenely
plancha iron (*for clothing*)
planchado plastered down,
  ironed
planear to plan
plano plan, level; city plan
plantado planted; established,
  founded
planteamiento planning
plantear to pose; to expound;
  to raise (*a question*)
plato dish, plate
plausible acceptable, agreeable
plaza place, seat
plazo term, time limit; a largo
  — long-range payment
pleito dispute, quarrel, lawsuit
pleno full; en — right in the
  middle of; en — día in broad
  daylight

plomizo leaden

población population

poblado community

poblar to populate

pobreza poverty

poca: bien — cosa very little, few

pocillo little well

poco little; — a — little by little; a no –s quite a few

poder *m.* power; *v.* to be able

poderoso powerful

podrido rotten, putrid

polaco Polish

policía police force

policial *adj.* (pertaining to the) police; *m.* police

policromo polychrome, vari-colored

político *n.* politician; *adj.* political

polo pole

polvo dust

pollo chicken

pómulo prominence of the cheek bone

ponderación pondering

ponderado prudent, tactful

poner to put; — a to set (*someone*) to; — en picota to hold up to public scorn; — en ridículo to ridicule, make a fool of; — en solfa to put in a ridiculous light; — pie to set foot; — por caso to take as an example; –se a to begin to

por: — ciento percent; — fas o — nefas rightly or wrongly, in any event

porcentaje *m.* percentage

porche *m.* porch

pordiosero beggar

pormenor detail

portar to carry, bear

portavoz *m.* loudspeaker; (*fig.*) mouthpiece (*person, newspaper*)

portero doorman, janitor, porter

portezuela car door

poseer to possess

poseído possessed

postergación delay, postponement

posterior posterior, rear; later, subsequent

postura posture, position

potable drinkable

potencia power

practicismo practical nature

práctico harbor pilot

pradera meadow

preciar to appraise, estimate

precio price

precisamente precisely

precisar to be necessary; — de to need

precisión necessity

preciso necessary

predecir to predict
predicar to preach
predilecto favorite
predominio predominance
preferente preferred, preferable
preferible preferable
pregunta question
prejuicio prejudice
premio prize
prender to grasp
prensa press
preocupar to preoccupy; –se to worry
preparativo preparation
prepotente haughty, overbearing
prescindir to set aside; to disregard; to dispense with, do without
prescribir to prescribe
presidir to preside (over); to direct
presión pressure
presionar to pressurize; to put pressure on (*a person*)
preso prisoner; **ser — de** to be a victim of, be a prey to
prestar to lend
prestigio prestige
prestigioso famous, renowned
presumir to presume
presunto presumed, supposed, presumptive
presuponer to presuppose
presupuesto *n.* supposition; motive; estimate
pretender to claim; to pretend; **— +***inf.* to try to
pretensión presumption
prevalecer to prevail
prever to foresee
previsible foreseeable
previsión foresight
prieto black, dark-complexioned
primerizo *adj.* beginning
primorosamente exquisitely, skillfully
principio: a los –s in the beginning, at first; **a –s de** around the beginning of
principios *pl.* principles
prioridad priority
prisa hurry, haste
privar to deprive; **–se de** to give up
privilegiado privileged one
proa prow
probar to prove
problema *m.* problem
procedencia origin, derivation
proceder to proceed; to originate
procedimiento procedure
proceso process
procurar to procure, obtain
prodigio prodigy
producir to produce
prójimo neighbor, fellow man
proletariado proletariat

proliferación multiplication, proliferation
proliferar to multiply, abound
promedio average
promesa promise
promiscuidad promiscuity
promover to promote, advance
pronto quick, promptly; **al —** right off; **de —** quickly, suddenly; **por de —** for the present
propender to tend, incline
propensión propensity, tendency
propiamente: — dicho properly speaking
propietario property holder
propina tip
propio own
proponer to plan, propose
proporcionar to provide, furnish, supply
prorrogar to postpone, put off, defer
proseguir to proceed
proselitismo proselytism, zeal for making converts
protagonista *m. and f.* principal person
proteger to protect
provechoso profitable, advantageous
proveedor steward, supplier
proveer (a) to provide (for)
provenir to originate, come

providencia foresight
provinciano *adj.* provincial; *n.* one from a province
provisionalidad temporary quality
provocar to provoke
proximidades *pl.* surroundings
próximo next, close
proyectar to plan, design
proyecto project
prueba test, proof
pudrir to rot; to worry; **-se** to be worried, be harassed
pueblo people, nation; town
puente *m.* bridge
puerco pig
pueril childish
puerilidad childishness
puertorriqueño Puerto Rican
pues then, well; **— bien** well then
puesto que since
pugna struggle, conflict
pujanza power, vigor
pujo eagerness, strong desire
pulsar to strike (*a key*); to throb, beat
pulso: a — the hard way
pulular to germinate, bud; to produce abundantly
punta point, tip, end; **de — a cabo** from one end to the other
punto point; **a — fijo** pre-

cisely, with certainty; **en — a** with regard to

puntualización certainty

puntualizar to give a detailed account of

puñado fistful, handful

puño fist

pupitre *m.* writing desk

pusilánime fainthearted

pusilanimidad cowardice

que well

quebrantar to break

quebrar to break

quedar to remain; **— por (ver)** to remain to be (seen)

quedo quiet

quehacer *m.* work, task

quejar to complain

querer to wish, want; **— decir** to mean; **se quiera o no** whether one wishes it (to) or not

querido dear, beloved

queso cheese

quiebra failure, breakup

quimera chimera, wild fancy

quincena two weeks, fortnight

quinientos five hundred

quirófano operating room

quirúrgico surgical

quitar to take away, remove; to dispel

quizá perhaps

rabillo: con el — del ojo out of the corner of one's eye

rabioso furious

rabo tail

ración allowance

radicar to be located

radio radius

ragazza *Italian* girl

ramificación ramification

ramo bouquet; **domingo de Ramos** Palm Sunday

rango rank

ranura groove

raro strange, rare

rascacielos *sing. and pl.* skyscraper(s)

rascar to scratch

rasgar to tear

rastrero creeping

rastrillar to rake

raudo swift, rapid

raya mark

rayo ray

razia big riot

razón *f.* reason

reacio stubborn, obstinate

realizar to realize; to bring into being *or* action

reanudar to resume, renew

rebajar to lower, reduce

rebaño flock, herd

rebasar to go beyond, exceed

rebelar to rebel

rebeldía rebellion

rebosante overflowing

rebuscar to search into, seek after

recalar to saturate, drench

recalentamiento reheating

recatar to conceal

recelar to fear

recelo fear

receptor receiver

receta prescription (*drug*)

recetar to prescribe

recién recently; — **llegado** newly-arrived person

recinto enclosure

recio strong, robust

recipiente *m.* container

reclamar to demand; to cry out

recluir to seclude; –**se** to go into seclusion

recobrar to recover

recoger to gather, pick up

recogido secluded, cloistered

recogimiento collection

recoleto cloistered

reconfortante recomforting

reconocer to recognize

reconocimiento examination, checkup

recordar to remind; to remember

recorrer to traverse; to look over

recostar to recline, lean

recreo recreation

recuerdo memory

recular *coll.* to give up; to back down

recurrir to resort, have recourse

recurso recourse, appeal (*by law*); –**s** resources, means

rechazar to refuse

rechazo refusal

red *f.* net

redactar to edit; to write up

redondel circle, arena, bullring

redondo round

referir to refer

reflejo reflex

refrán *m.* proverb, saying

refugiar to shelter; –**se** to take refuge

refugio refuge

regalar to give; to regale

regañar to quarrel; *coll.* to scold

regar to water, sprinkle; to irrigate

regatear to bargain, haggle over; to begrudge

régimen *m.* regime, routine

regir to govern, control

regla rule

reglamento regulation

regocijante rejoicing, delightful

regocijo joy, pleasure

regresar to return

rehacer to remake; –**se** to recover

rehuir to avoid, shun

rehusar to refuse

reinar to reign, rule

reír(se) (de) to laugh (at)
reiterar to repeat
reivindicación claim, demand
reloj *m.* watch
relleno very full, packed
remanso backwater; still water
rematado finished; hopeless
remedar to copy, imitate
remediar to remedy
remedio remedy
remiendo repair, mending
remo leg, arm
remontar to elevate, raise
remorder to sting; to cause remorse to
rendimiento submission; fatigue; performance
rendir to render; to yield
renta revenue, income; — **nacional** gross national product
rentable income-yielding
rentar to yield, produce
renuncia renunciation
renunciar to renounce
reparar to notice, observe; — **en** to notice, pay attention to
repartir to apportion, allot
reparto distribution
repente: de — suddenly
repentinamente suddenly
repertorio repertory
reposado reposeful
reprender to reproach, scold
represalia reprisal
representante *m. and f.* repre-
sentative
repugnar to repel
requerir to require
resaltar to stand out
resbaladizo slippery
rescindir to annul
resembrar to resow
reseñar to review; to sketch, outline
reserva: sin — without reservation
residencia dormitory
residente *m. and f.* resident
resignarse a+*inf.* to resign oneself to
resistir a+*inf.* to refuse to
resorte *m.* spring; means
respaldo back (*of a seat*)
respecto consideration, respect; **al —** in the matter; **con — a** *or* **de** with respect to, with regard to
respirar to breathe
responder to reply
respuesta answer, reply
resquebrajar to crack, split
restablecimiento recovery, restoration
restallante crackling
restar to remain; to take away
resto rest, remainder; **–s** remains
restorán *m.* restaurant
resultado result

resultar to become; to prove to be

resumen: en — in a word, to sum up

resumir to sum up, summarize

retiro retirement

retoque *m.* finishing touch

retornar to return, go back

retraer to bring back; **-se** to withdraw

retraimiento withdrawal; reserve

retrasar to put off, delay

retraso delay

retratar to photograph

retrato picture, portrait, photograph

retrete *m.* toilet

retribución pay, compensation

retribuir to reward, remunerate

retrotraer to antedate

reunión reunion, gathering

revelador revealing

reventar to burst, explode

reverso opposite, reverse

revés reverse; **al —** in reverse, in the opposite way

revisor examiner

revista magazine

rezagado straggler, laggard

rezar con *coll.* to concern

riego sprinkling

rienda rein

riesgo risk

rigidez rigidity

rigor: de — strictly speaking; **en —** as a matter of fact

rigurosamente rigorously

rimbombante resounding; showy, flashy

rincón corner

ringlera line

río river

riqueza richness, wealth

ritmo rhythm

roble *m.* oak tree

roce *m.* rubbing

rociar to sprinkle

rodado on wheels

rodaja round slice

rodar to run on wheels; to roll along; to rotate

rodear to surround; to turn around; to go a roundabout way

rojizo reddish

rojo red

romper to break

roncar to snore

rosal rosebush

rostro face

roto broken

rotundamente flatly

rozagante magnificent, elegant

rozar to border on; **-se** to be close, be on close terms

rubio blond

rubita little blond

rubricar to sign and seal; to add one's flourish to

ruin base person, scoundrel
rumbo course, direction; — a
on the way to
ruso Russian
rutilante sparkling, brilliant

sábado Saturday
sábana bed sheet
saber *m.* knowledge; *v.* to know
sabido well-informed; **por** —
certainly
sabiduría wisdom
sabio *n.* wise person; *adj.* wise
sabor taste, flavor
saborear to taste, savor
sabroso tasty, delicious
sacar to take out, pull out, extract
saciar to satiate, satisfy
saciedad satiety, satiation
saco sack, bag
sacudir to shake, jolt
sagrado sacred
sal *f.* salt
sala: — **de juego** game room
salado salty
salario wages, pay
salir to depart
salsa sauce; **en su** — at their
ease
salto leap
salubridad health
saludar to greet
salvar to save
salvo except

sangre *f.* blood
sangriento bloody
sanidad health
sano healthy
sanseacabó *coll.* finished, O. K.
saquear to ransack, plunder
sartén *f.* frying pan
satisfecho satisfied
sauce *m.*: — **llorón** weeping wil-
low tree
secadora clothes dryer
secar to dry
seco dry
secuela result
sed *f.* thirst
sede *f.* seat of power, head-
quarters
segadora lawn mower
segar to mow, cut
seguir to follow, continue
según according to
seguramente surely
seguridad security
seiscientos six hundred
seleccionar to select
semáforo traffic light
sembrado cultivated field, sown
ground
sembrar to sow, scatter seed
semeja resemblance
semejante similar
semejanza similarity
semejar to resemble
semianalfabeto semi-illiterate
semilla seed

senado senate
senador senator
sencillo simple
seno bosom, heart
sensación sensation
sensatez common sense, good
sense
sensato sensible
sensibilidad sensitivity
sensible sensitive
sentar to seat; to establish
sentido sense, meaning
sentimiento sentiment
sentir to feel
señalar to indicate, point out;
to mark
señorío dominion, rule
separado: por — under sepa-
rate cover; separately
sepelio burial, interment
septentrional northern
sequía dryness, drought
ser *m.* human being; *v.* a no —
que unless it be
serie *f.* series; de la — mass
(*production*)
seriedad seriousness
serio serious
serrano *adj.* highland; *n.* high-
lander
serrín sawdust
servicial obliging, accommodat-
ing
servidor humble servant
servir to serve; no — para

nada to be of no use, be good
for nothing
sésamo sesame
sesera brain
setecientos seven hundred
seto fence
sí: — que certainly
sicológico psychological
sideral astral, pertaining to the
stars
siempre always; de — as usual
sigiloso reserved
siglo century
significación significance
significado meaning
significar to mean
significativo significant
siguiente following
silencioso silent
silvestre wild, savage
sillón armchair
sima gulf, chasm
símbolo symbol
simultanear to carry out simul-
taneously
sin without; — embargo
nevertheless; — más without
more ado; — que without
sindicalismo syndicalism,
unionism
sindicar to syndicate
sindicato syndicate
siniestro sinister
sino *n.* fate, destiny
sino *conj.* but, except

síntoma *m.* symptom
sinuoso winding
siquiatra *m. and f.* psychiatrist
síquico psychic
siquiera at least, even though, although; **ni —** not even
sirena siren, horn
sitio place
soberbia pride, haughtiness
soberbio proud, superb
sobrado rich, abundant
sobrar to abound; to be more than enough
sobras *pl.* leftovers, leavings
sobrecoger to surprise; to terrify; **—se** to be surprised; **—se de** to be seized with
sobrentender to understand
sobrepasar to surpass, exceed
sobresaliente outstanding
sobresalir to surpass
sobrevenir to happen; to crop up
sobriedad sobriety, moderation
sobrio temperate, moderate
socavado excavated
socavar to undermine
sociedad society
sociólogo sociologist
socorrido trite, worn; handy
sol *m.* sun
solamente only
solapado cunning, underhanded
solas: a — alone, by oneself
soldada wages, pay
soldado soldier
solearse to take a sun bath, sun oneself
soledad solitude
solemnidad solemnity
soler to be accustomed to
solidario jointly binding
sólido solid
solo *adj.* alone
sólo *adv.* only; **no — ... sino** not only ... but
solomillo sirloin
soltar to loosen, set free; **—se a** +*inf.* to start out to
soltero bachelor
solterón old bachelor
solventar to solve (*a difficulty*); to settle (*a debt*)
sombra shadow
sombrerazo courteous tipping of the hat
sombrío shady
someter to submit
sometido submissive, docile, humble
sonámbulo sleepwalker
sonar to ring; to strike (*clock*)
sonrisa smile
sonrojar to blush
sonrojo blush
sonrosado rosy
soñar to dream
soplo breath
soportar to endure
sordidez sordidness

sordo silent; deaf
sorgo sorghum
sorna slowness
sorprendente surprising
sosegado quiet, calm, serene
sosiego calm, serenity
sospechar to suspect
sospechoso suspicious
sostener to sustain, support
sótano basement
suavizar to smooth, ease, soften
subconsciente subconscious
subdesarrollados *pl.* underdeveloped (peoples)
subir to rise, climb
súbito sudden
subrayar to underline
subrepticiamente surreptitiously, fraudulently
subsidio subsidy; –s de paro unemployment compensation
subsiguiente subsequent
subsuelo subsoil
sucedáneo *adj. and n.* substitute
suceder to occur, happen; –se to follow one after the other
suceso event
suciedad filth
sucintamente succinctly, briefly
sucio dirty
suculento succulent, tasty
sucumbir to succumb
sudar to sweat
sudeste southeast
sudor sweat

suela sole
sueldo wages, salary
suelo ground, land
sueño dream
suerte *f.* kind; luck
sufrido long-suffering
sufrimiento suffering
sugerencia suggestion
sugeridor suggesting
sugerir to suggest
sugestivo stimulating
sujetar to subdue
suma: en — in short
sumamente greatly, extremely
sumar to add; to amount to
suministrar to provide
sumiso submissive, humble
sumo: a lo — at the most
superar to surpass; to overcome, conquer
superchería deceit
supermercado supermarket
superponer to juxtapose, place on the top of
superpotente superpowerful
supervivencia survival
súplica supplication, plea
suplir to make up for; to take the place of, replace
suponer to suppose
suprimir to suppress
supuesto *adj.* hypothetical; *n.* assumption, hypothesis; por — of course; — que since
sur *m.* south

surcar to plough through
sureño southern
surgir to surge; to arise, come forth
suroeste *m.* southwest
susodicho aforesaid
suspiro sigh
sustentar to sustain
sustitución substitution
sustituir to substitute
sustrato underlying quality

taberna tavern
tabique *m.* thin wall, partition
tabla board, plank
tal such a; — vez perhaps
talla stature, height
tallar to cut; to carve
taller *m.* shop; factory
tamaño size
también also
tamiz *m.* sieve, screen
tampoco neither
tan ... como as . . . as
tanto so much; a — to such an extent; — como as much as; en — while, in the meantime, as long as; otro — the same thing; por — therefore; un — somewhat, rather
tapar: –le la boca to shut *or* cover up someone's mouth
tapón cork, stopper
taquilla ticket-office window

tarde *f. and adj.* afternoon; más — o más temprano sooner or later
tardío slow, late
tarta tart
taxista *m. and f.* taxi driver
té *m.* tea
tebeo Theban, one from Thebes
técnico technician
tedio tediousness, boredom
tejado roof
tejer to weave, knit
tela cloth, fabric
televisor television set
telón drop curtain
tema *m.* theme
temblar to tremble
temeridad temerity, imprudence, recklessness
temor fear
temprano early
tenaz tenacious, firm, resistant
tender to extend, reach out; — a to tend to
tenebroso gloomy, sad, dark
tener to have; — a mano to have available, have at hand; — algo que ver con to have something to do with; — en cuenta to take into account, give credit for; — la palabra to have the floor; no — nada que ver con to have nothing to do with; no — otro remedio to be unavoidable, unable to

be helped; — **prisa** to be in a hurry; — **razón** to be right; — **sin cuidado** to be careless

tenor: a este — like this

tentación temptation

tentar to test

tente persistence

teñir to tint, dye

teoría theory

terciarse to be appropriate

terciopelo velvet

término term; **en primer —** in the first place

terquedad obstinacy, stubbornness

terradillo small terrace

terraza terrace, veranda

terremoto earthquake

terreno land

terrorífico frightful

tesis *f.* thesis

testigo witness

testimoniar to bear witness to

tétrico gloomy, dark

tez complexion

tiempo time; weather; **al mismo —** at the same time; **al propio —** at the same time; **de — en —** from time to time

tienda shop; **— de comestibles** grocery store

tierno tender

tierra earth; land

timbre *m.* bell

timidez timidity

tinglado intrigue

tinieblas *pl.* darkness

tinte *m.* dye, tint

tíos aunts and uncles

tirar to throw; to draw, pull; **— a+***inf.* to tend to

titubear to hesitate; to stagger

título degree, title

tocar to touch; **–se con** to wear (*on the head*), have on

tocino bacon

todavía still, yet

toga loose cloak worn by professors, judges, etc.

tomar to take; **— de su mano** to escort; **— en serio** to take seriously

tomate *m.* tomato

tonelada ton

tonificante strengthening, invigorating

tontería foolishness, stupidity

topar con to run across, encounter

tope *m.* summit

torcer to twist

torera tight, unbuttoned jacket of a bullfighter

torero bullfighter

tornar to return

tornillo screw

torno turn; **en —** around

toro bull

torpe slow, stupid

torpeza dullness, stupidity, awkwardness
torrente *m.* torrent
tortuga tortoise
tos *f.* cough
total in a word
traba obstacle
trabado bound, joined, connected
trabajador worker
trabajo work
tractorcito little tractor
traducción translation
traducir to translate
traer to bring
tragaderas *pl. coll.* laxity; indulgence
traje *m.* dress, costume; suit
trajeado clothed
trámite *m.* business transaction; procedure
trampa snare, trap
trance *m.* critical moment; **en — de** in the act of
transcurrir to pass, elapse
transeúnte *m. and f.* transient, passerby
transfundir to transfuse
transigencia compromise
tránsito: en — en route
transpiración sweat, sweating
tras after; **— de** behind
trascender to transcend
trascendido keen
trasera back part, rear

trasero back, rear
trasladar to transfer
traslado transfer
traslucirse to be transparent; to become evident
trasto piece of furniture
trastornar to upset
trastorno upset, disorder
tratadista *m. and f.* writer of treatises
tratar to deal with, treat; **— de +inf.** to try to; **-se de** to be a question of
trato treatment; manner, way of acting
través: a — de through, across
travesía distance, passage; crossing
travesura trick; mischief
trayectoria trajectory
trazar to trace; to plan
trepar to climb
tribunal law court, tribunal
trigo wheat
tripulante *m.* crew member
triste sad
trituradora crusher
triturar to crush
tropezar con to stumble upon, meet (*by chance*)
trozo piece
tul *m.* tulle; **— ilusión** net veil
tumba tomb
turbio troubled
turismo tourist business

tutela guardianship

ubicar to place, locate
ubre *f.* udder
ufano boastful
último last
único only, unique
unidad unit
unifamiliar one-family
uniformarse to become uniform
unir to unite
universitario *adj. and n.* university (*student or professor*)
uña nail (*finger or toe*)
urbano urban
urbe *f.* big city, metropolis
urgentísimo very urgent
urna ballot box
utilización utilization
utopía utopia

vaca cow
vacaciones *pl.* vacation
vacilación hesitation
vacilar to hesitate
vacío *adj.* empty, void; *n.* emptiness
vacuna vaccine; vaccination
vacunar to vaccinate
vagabundo vagabond, tramp
vago *adj.* lazy, idle, vague, wavering; *n.* vagabond
vaivén giddiness, wavering
valedero valid, binding
valer to be worth; — **la pena** to be worthwhile; — **para** to be useful for; **–se por sí mismo** to help oneself
validez validity
válido valid
valor value
valoración valuation, appraisal
valorar to value, evaluate
valla fence
vallar to fence in
valle *m.* valley
vanagloriar to boast; **–se de** to boast of, be proud of
vanidad vanity
vapor steamer; vapor
vaquero cowboy
varar to run aground
variante variant
varón male
varonía masculinity
Varsovia Warsaw
vasco Basque
vaso glass
vecindad neighborhood
vecindario neighborhood
vecino neighbor
vegetal vegetable
veintitantos some twenty, over twenty
vejez old age
veleidad fickleness
velo veil
velocidad speed
vello fuzz, down, soft hair
vendar: –le los ojos to blindfold

vender to sell

venganza vengeance

venir to come; — a+*inf.* to happen to; to amount to; — en gana to do as one wants to; to come into the head of

ventaja advantage

ventanilla small window

ventolera gust (of wind)

ventosa cupping glass

ver to see; a mi — in my opinion

veranear to summer, spend the summer

verano summer

veras *pl.* truth

verbigracia for example

verdad truth; de — in truth

verdadero true

verde green

vergel garden, small orchard

versallesco like Versailles

versicolor many-colored

vertedero dumping place

vertiente *f.* slope

vertiginoso giddy, dizzy

vestido clothing, dress

vestir to dress; –se por los pies to dress "fit to kill"

vetar to veto

vez time; a su — in their turn, in turn; a veces at times; cada — más more and more; en — de instead of; rara — rarely; tal — perhaps; una

— once

vía way, route, road; –s de ferrocarril railroad tracks

viable feasible, viable, capable of growing and developing

viajero traveler

vianda food

viandante *m. and f.* traveler

vicioso licentious; defective

víctima victim

vida life

viejo old

viernes Friday

vietnamita *m. and f., adj.* Vietnamese

vigilancia watchfulness, vigilance

vigilar to watch over

vigorizante invigorating

vigorizar to invigorate

vínculo tie, link

vindicta: — pública punishment, justice

viña vineyard

violentísimo very violent

virtud virtue

virtuosismo virtuosity, excellence

virulento virulent, poisonous

viseras *pl.* eyeshades, visors

visillo window shade *or* curtain

vista sight; a la — in view, in sight; en — de in consideration of

vistoso showy, flashy
vitrina shop window
viuda widow
vivaz vivacious
víveres *m. pl.* supplies, provisions, food
viveza aliveness, agility, brightness
vivienda dwelling; housing; way of living
viviente living
vivir *v.* to live; *m.* living
vivito very active *or* intense, very much alive
vivo *adj.* alive; *n. coll.* clever person
vocablo term, word
vocear to shout, proclaim
vocinglero *adj.* loudmouthed; *n.* loudmouthed, loquacious person
volante *m.* steering wheel
volubilidad inconstancy

voluntad will
voluntario elective, voluntary
volver to return; — **a**+*inf.* to ... again
vorágine *f.* whirlpool
votación voting, balloting
votante *m. and f.* voter
votar to vote
vuelo flight
vuelta return
vulgar commonplace, ordinary, popular

ya now, already; — **no** no longer; — **que** since
yacente lying down, recumbent
yerba grass

zambullir to dive
zanahoria carrot
zapatero cobbler
zapato shoe
zumbido buzzing, hum
zurdo left-handed person